GUIDE COMPLET DU BRICOLEUR
LA PEINTURE ET LA DÉCORATION

Traduit de l'américain
par Jean Storme

LES ÉDITIONS DE
L'HOMME

Note de l'Éditeur : Avant d'entreprendre les travaux de bricolage et de rénovation expliqués dans le présent ouvrage,
il est très important que vous preniez soin de vous informer auprès de votre ville ou de votre municipalité de la
réglementation concernant ce genre de travaux, des lois du code régional et des restrictions s'appliquant à votre localité.
Il est aussi prudent que vous respectiez toutes les mesures de sécurité prescrites dans ce livre et que vous fassiez appel
aux conseils et à la compétence d'un professionnel en cas de doute ou de difficulté.

Données de catalogage avant publication (Canada)

Vedette principale au titre :

La peinture et la décoration

(Guide complet du bricoleur)
Traduction de : The complete guide to painting and decorating

1. Peinture en bâtiment. 2. Décoration intérieure. 3. Papier peint – Pose.
I. Storme, Jean. II. Black & Decker Corporation (Towson, Mar.) III. Collection.

TT323.C6614 2001   698'.14   C2001-941447-1

Éditeur exécutif : Bryan Trandem
Directeur artistique : Tim Himsel
Coordonnatrices de l'édition : Michelle Skudlarek, Jennifer Caliandro
Directeur de l'édition : Jerri Farris

Rédacteurs en chef : Philip Schmidt, Christian Paschke
Directeurs artistiques en chef : Kevin Walton, Gina Seeling
Graphistes : Jon Simpson, Patricia Goar, Lynne Hanauer.
Photographe technique en chef : Keith Thompson
Stylistes : Arlene Dohrman, Bridget Haugh, Joanne Wawra
Directrice du projet : Michelle Skudlarek
Modèle : Kay Wethern
Responsable des services de studio : Marcia Chambers
Coordonnatrice des services de studio : Carol Osterhus
Responsable de l'équipe des photographes : Chuck Nields
Photographe : Jamie Mauk
Menuisiers de l'atelier : Dan Widerski, Gregory Wallace
Directrice du service de production : Kim Gerber
Coordonnatrices de la production : Stasia Dorn, Laura Hokkanen, Helga Thielen

L'ouvrage original a été créé par l'équipe de Creative Publishing international, Inc.,
en collaboration avec Black & Decker. Black & Decker® est une marque déposée de
The Black & Decker Corporation utilisée sous licence.

L'Éditeur bénéficie du soutien de la Société de développement des entreprises
culturelles du Québec pour son programme d'édition.

Nous reconnaissons l'aide financière du gouvernement du Canada par l'entremise
du Programme d'aide au développement de l'industrie de l'édition (PADIÉ) pour nos
activités d'édition.

DISTRIBUTEURS EXCLUSIFS :

- Pour le Canada
  et les États-Unis :
  MESSAGERIES ADP*
  955, rue Amherst
  Montréal, Québec
  H2L 3K4
  Tél. : (514) 523-1182
  Télécopieur : (514) 939-0406
  * Filiale de Sogides ltée

- Pour la France et les autres pays :
  VIVENDI UNIVERSAL PUBLISHING SERVICES
  Immeuble Paryseine, 3, Allée de la Seine
  94854 Ivry Cedex
  Tél. : 01 49 59 11 89/91
  Télécopieur : 01 49 59 11 96
  Commandes : Tél. : 02 38 32 71 00
  Télécopieur : 02 38 32 71 28

- Pour la Suisse :
  VIVENDI UNIVERSAL PUBLISHING SERVICES SUISSE
  Case postale 69 - 1701 Fribourg - Suisse
  Tél. : (41-26) 460-80-60
  Télécopieur : (41-26) 460-80-68
  Internet : www.havas.ch
  Email : office@havas.ch
  DISTRIBUTION : OLF SA
  Z.I. 3, Corminbœuf
  Case postale 1061
  CH-1701 FRIBOURG
  Commandes : Tél. : (41-26) 467-53-33
  Télécopieur : (41-26) 467-54-66

- Pour la Belgique et le Luxembourg :
  VIVENDI UNIVERSAL PUBLISHING SERVICES BENELUX
  Boulevard de l'Europe 117
  B-1301 Wavre
  Tél. : (010) 42-03-20
  Télécopieur : (010) 41-20-24
  http://www.vups.be
  Email : info@vups.be

Pour en savoir davantage sur nos publications,
visitez notre site : **www.edhomme.com**
Autres sites à visiter : www.edjour.com • www.edtypo.com
www.edvlb.com • www.edhexagone.com • www.edutilis.com

L'ouvrage original américain a été publié
par Creative Publishing international, Inc.
sous le titre *The Complete Guide to Painting and Decorating*

Dépôt légal : 4e trimestre 2001

Bibliothèque nationale du Québec

ISBN 2-7619-1647-6

Crédits photos :

Anaglypta/Lincrusta: p. 262, 265
http://anaglypta.com

Blonder Wallcoverings: p. 28, 32, 34, 36, 38, 42, 43
http://www.blonderwall.com

Orac Decor de Outwater Plastics Industries, Inc.: p. 278, 279, 281
http://www.outwater.com

Wagner Spray Tech Corp.: p. 178, 180a
http://www.wagnerspraytech.com

Table des matières

Introduction

*L*e Guide complet de la peinture et de la décoration contient toute l'information dont vous avez besoin pour transformer chacune des pièces de votre maison en lieux de séjour bien décorés. Les 700 photos en couleurs illustrent les techniques professionnelles de peinture et de décoration et sont accompagnées des instructions indispensables, accessibles à tout bricoleur. Le guide est divisé en trois sections faciles à consulter, et il traite de tout ce que vous devez savoir sur la peinture et la décoration : Principes des couleurs et de la décoration, Éléments fondamentaux de la peinture et du recouvrement mural, et Techniques avancées de peinture et de décoration.

Dans Principes des couleurs et de la décoration, on vous apprend la théorie des couleurs et on vous montre comment choisir une combinaison de couleurs qui convient à votre pièce et qui vous plaît. Dans cette section, on explique en détail les effets des couleurs, les différentes combinaisons de couleurs et les différents types de motifs. Vous découvrirez comment vous servir d'une couleur et d'un motif pour créer l'ambiance d'une pièce et comment agencer une pièce.

Dans la section suivante, Éléments fondamentaux de la peinture et du recouvrement, on décrit, par étapes, en les illustrant, les méthodes utilisées par les professionnels pour peindre et recouvrir les murs et les plafonds. Dans cette section, on vous montre comment réparer les murs et les préparer pour la peinture et le recouvrement afin que le résultat soit impeccable. La description des techniques élémentaires de peinture vous aidera à découvrir les secrets de la peinture, à choisir la peinture, et le matériel de peinture et de nettoyage. De même, les techniques de recouvrement mural vous apprendront comment choisir le recouvrement, évaluer les quantités, choisir les outils et le matériel, et préparer et installer le revêtement.

Dans la dernière section du guide, Techniques avancées de peinture et de décoration, on vous montre comment embellir les murs et les planchers à l'aide de motifs de finition en trompe-l'œil et de touches décoratives, fréquemment utilisés par les artisans professionnels. Vous pourrez créer vous-même ces finis remarquables en suivant les explications détaillées concernant le choix des outils de peinture spéciaux et la préparation de glacis. Dans Techniques avancées de peinture et de décoration, vous trouverez des méthodes qui vous permettront d'ajouter une touche d'élégance aux murs à l'aide de découpes, de corniches et de moulures en revêtement. Dans cette section, on indique également une méthode étonnamment simple pour transformer des pièces à l'aide de moulures de couronnement et de médaillons de plafond séduisants, moulés dans un produit à base de polyuréthane qui ressemble au plâtre.

Principes des couleurs et de la décoration

Comprendre les couleurs

Certaines personnes choisissent instinctivement des combinaisons de couleurs harmonieuses, mais la majorité des gens doivent s'appuyer sur la théorie des couleurs pour choisir les couleurs qui rehausseront leur intérieur.

On peut illustrer la théorie des couleurs à l'aide d'un disque, qui nous montre la relation entre les couleurs, appelées également teintes. Les couleurs du disque sont classées en couleurs primaires et couleurs secondaires. En les combinant, suivant la position qu'elles occupent sur le disque, on obtient des couleurs voisines ou des couleurs complémentaires.

Le rouge, le jaune et le bleu sont les couleurs primaires. L'orange, le vert et le violet sont les couleurs secondaires, obtenues en combinant deux couleurs primaires. Toutes les couleurs utilisées en peinture sont créées en combinant le blanc, le noir et les couleurs primaires.

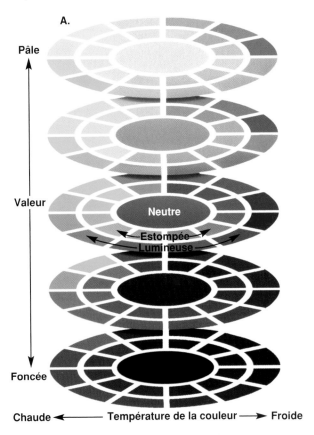

A.

Pâle

Valeur

Neutre

Estompée
Lumineuse

Foncée

Chaude ⟵ **Température de la couleur** ⟶ Froide

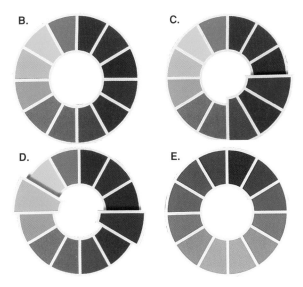

B. **C.** **D.** **E.**

A : ces exemples du disque des couleurs illustrent les caractéristiques des couleurs, c'est-à-dire la valeur, l'éclat et la température. Toutes les couleurs découlent d'une combinaison de blanc, de noir et de couleurs primaires. **B :** le disque des couleurs montre la relation entre les couleurs de base. **C :** les couleurs voisines sont celles qui se trouvent à proximité les unes des autres sur le disque des couleurs. **D :** les couleurs complémentaires sont celles qui se trouvent en face les unes des autres sur le disque des couleurs. **E :** les couleurs neutres sont les nuances du blanc, du gris ou du beige.

Les couleurs voisines sont celles qui se trouvent à proximité les unes des autres sur le disque des couleurs. Par exemple, le rouge et l'orange sont des couleurs voisines.

Les couleurs complémentaires sont situées en face les unes des autres sur le disque des couleurs. Ainsi, le bleu est la couleur complémentaire de l'orange.

Les couleurs neutres sont des nuances du blanc, du gris ou du beige. La plupart des couleurs neutres sont légèrement teintées par une autre couleur.

On classe également les couleurs d'après leur valeur, leur degré de saturation et leur température. Dans cette section, vous apprendrez comment chacune de ces propriétés influence notre réaction aux couleurs.

La *valeur* d'une teinte est déterminée par la quantité de blanc ou de noir qu'elle contient, et cette valeur rend la couleur pâle ou foncée. Les couleurs pâles contiennent plus de blanc et les couleurs foncées, plus de noir.

La *saturation* entraîne la luminosité d'une teinte. Les teintes saturées, appelées aussi couleurs lumineuses, sont des teintes intenses, qui ne sont pas diluées avec du noir, du blanc ou avec une couleur complémentaire. Les couleurs non saturées, appelées aussi couleurs estompées, sont formées d'une teinte diluée avec du blanc, du noir ou une teinte complémentaire.

On classe encore les couleurs en couleurs *chaudes* et couleurs *froides*. Les couleurs chaudes sont des variantes du rouge, de l'orange, du jaune et du brun ; les couleurs froides sont des variantes du vert, du bleu et du violet.

CREAM (W)　　　(W)

T-65　　　T-117　　　(W)　　　G SEA (W)　　　T-122　　　T-140

Couleurs pâles

Les couleurs pâles éclairent les pièces et les agrandissent. L'œil les perçoit comme s'il les voyait de plus loin, ce qui donne l'impression d'une pièce plus grande et de plafonds plus hauts. Les couleurs pâles réfléchissent la lumière et elles peuvent donc éclairer une pièce, un placard ou un couloir sombre orientés vers le nord.

Les nuances de blanc et les autres couleurs pâles constituent un excellent choix pour une pouponnière ou une chambre d'enfant. Dans n'importe quelle pièce, des murs blancs forment un arrière-plan neutre qui ne détonne pas avec l'ameublement.

La rugosité du mur et le lustre de la peinture peuvent modifier la luminosité de n'importe quelle couleur. Les surfaces lisses et les peintures brillantes réfléchissent le maximum de lumière et rendent la couleur plus lumineuse. Les murs rugueux et les peintures mates absorbent la lumière et rendent les couleurs moins lumineuses.

Page opposée : les couleurs pâles réfléchissent la lumière, ce qui agrandit la pièce. Dans ces pièces, la couleur claire des meubles combinée à la couleur des murs amplifie l'impression d'ouverture. Utilisez des couleurs pâles dans les petites pièces ou dans les pièces qui reçoivent peu de lumière naturelle.

Ci-dessous : les couleurs pâles illuminent la décoration d'ensemble.

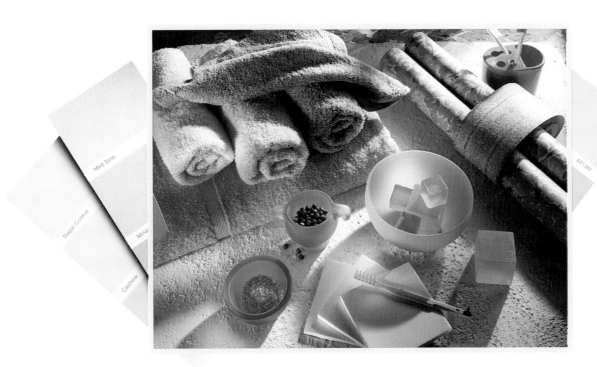

8 TH 9 GINGER PINK (W)   T-28   T-65   T-117   (W)   G SEA (W)   T-122

8 TH 10 CICELY (M)   E (W)   CK (W)

ESS SEA (M)

8 TH 12 M

S-25

EE

Couleurs foncées

Utilisez des couleurs foncées pour créer une impression d'intimité dans la pièce. Les couleurs foncées absorbent la lumière, ce qui rapproche les murs et rapetisse la pièce. On utilise souvent les couleurs foncées dans les bibliothèques, les études et autres pièces tranquilles.

Les couleurs foncées permettent de dissimuler les endroits imparfaits — les murs inégaux — ou de donner l'impression que le plafond est moins haut. Dans les endroits fréquentés, les couleurs foncées peuvent dissimuler la dégradation. Les surfaces rugueuses et les peintures de finition mates rendent les peintures plus foncées parce qu'elles absorbent davantage la lumière.

Les murs foncés ont tendance à prédominer, dans un décor, et vous aurez souvent intérêt à équilibrer une pièce sombre par des touches de couleurs plus pâles.

Page opposée : les murs foncés de ces pièces font ressortir les meubles clairs. Des meubles foncés se distingueraient mal des murs, ce qui alourdirait l'ambiance.

Ci-dessous : des couleurs foncées riches, dans des tons de bijoux, créent un décor calme, élégant.

50 TH 20 GOLDEN YE
50 TH 21 LIBERT
50 TH 22 NA
50 TH

50 TH 7 CARMINE (R)
50 TH 8 CINDER RE
50 TH 9 SIRO

50 TH 14 ORANGE FLIP (O)
50 TH 15 JUICY FRUIT (O)
50 TH 16 EARTH TILE (U)
50 TH 17 BRIGHT ORANGE (O)

Couleurs chaudes

L es rouges, les jaunes, les bruns, et les teintes orange et pêche sont des couleurs chaudes. Les couleurs chaudes intenses ont un effet saisissant, tandis que les couleurs chaudes estompées conviennent bien aux pièces dans lesquelles on se rassemble dans un but social. On utilise souvent les couleurs chaudes dans les endroits où l'on mange, comme les coins à déjeuner ou les salles à manger.

Les couleurs chaudes rendent également plus attrayantes les pièces orientées vers le nord. Les recherches montrent que les personnes ont une impression de chaleur plus marquée dans une pièce peinte dans des tons de jaune, de rouge ou d'orange que dans une pièce peinte en blanc ou en bleu. Dans les pays froids, on opte souvent pour des couleurs chaudes.

Page opposée : les couleurs chaudes vont du jaune, du rouge et de l'orange intenses aux couleurs plus subtiles de saumon et de brun. On choisit souvent des couleurs chaudes dans les pièces fréquentées le matin, ou dans les pièces très fréquentées en soirée.

Ci-dessous : les tons de brun, allant du caramel à l'ombre brûlée, réchauffent un décor.

22 TH 2 OVERSEA

BLOSSO

22 TH 3 BOUT

VELY LIL

22 TH 4

H 4 LILA

22 TH

29 TH

28 TH 2 BLUE DRIFT (W)

28 TH 3 SCANDINAVIA (W)

28 TH 4 BRIGHT EYES (M)

28 TH 5 VAGRANT BLUE (M)

28 TH 6 DEEP NIGHT (D)

L-123

Couleurs froides

Les teintes de bleu, vert, lavande et gris sont des couleurs froides. Les couleurs froides intenses sont fraîches et spectaculaires, tandis que les gris froids, estompés, dégagent une impression de tranquillité. Les couleurs froides rendent l'atmosphère des pièces moins confinée. On les utilise souvent dans les salles de bains et dans les autres pièces de petite dimension, ainsi que dans les chambres à coucher et les salles de séjour austères.

Utilisez les couleurs froides pour peindre les cuisines, les porches et les autres pièces orientées vers l'ouest, si la chaleur de l'après-midi y est accablante. Si vous séjournez dans un climat chaud, vous rendrez votre maison plus confortable en utilisant exclusivement des nuances de blanc et des couleurs froides.

Page opposée : les couleurs froides vont du violet lumineux au bleu indigo, en passant par le bleu roi, le vert jade et le vert menthe pâle. On utilise fréquemment les couleurs froides pour créer une atmosphère relaxante dans des chambres à coucher, des salles de bains et des salons.

Ci-dessous : si l'on mêle des bleus froids au décor d'une pièce, celle-ci dégage une impression de calme et de repos.

27 TH 15 CATALINA (W)

27 TH 16 ROBE BLUE (M)

27 TH 17 LIMPID

27 TH 18 BLUE

15 TH 6 LUSTY YELLOW (D)

Couleurs lumineuses

L es couleurs lumineuses sont saturées de pigment ; ce sont des teintes pures, qui ne sont ni diluées par le blanc ni foncées par le noir. Les couleurs lumineuses attirent l'attention et conviennent particulièrement aux endroits qui abritent des activités multiples, tels que les salles de jeu, les porches ensoleillés et les chambres d'enfants. Lorsqu'on les utilise sur des murs de pièces qui reçoivent peu de lumière naturelle, comme les salles de jeu situées au sous-sol, on égaye l'ensemble de la pièce.

Étant donné que les couleurs lumineuses attirent l'attention, on s'en sert souvent pour ajouter une touche d'originalité dans des pièces aux couleurs neutres ou estompées. On peut également créer un agencement de couleurs intéressant en mariant une seule couleur lumineuse à des éléments et des meubles de couleur neutre. Les couleurs lumineuses génèrent l'excitation et l'énergie ; il faut les utiliser avec mesure dans les pièces destinées à la détente.

Page opposée : un salon, dans lequel les murs, recouverts d'une couleur lumineuse, contrebalancent des éléments et des meubles de couleur neutre, dégage une atmosphère chaleureuse mais simple.

Ci-dessous : en introduisant des touches lumineuses de jaune et de bleu dans une pièce, on crée un ensemble vivant, stimulant.

Couleurs estompées

Contrairement aux couleurs lumineuses, les couleurs estompées ne sont pas saturées de pigment. On les obtient en ajoutant à une teinte pure un mélange de blanc, de noir ou de gris. Plus on ajoute l'un ou l'autre de ces mélanges, plus la couleur de base devient neutre. Les couleurs estompées sont relaxantes et reposantes, et on les utilise souvent pour créer une atmosphère de tranquillité dans les chambres à coucher, les études et autres endroits calmes. On recherche également la tranquillité dégagée par les couleurs estompées pour les salles de bains et les vestiaires.

Il faut équilibrer soigneusement les couleurs estompées avec des éléments de couleur neutre ou lumineuse. Vous pouvez rendre plus attrayante une pièce dont les murs sont peints dans une couleur dominante estompée en y ajoutant quelques touches de couleur lumineuse.

Page opposée : Ces salons dégagent une impression de calme et de tranquillité grâce au revêtement de couleur estompée de leurs murs.

Ci-dessous : des couleurs estompées neutres, dans les nuances de kaki, olive et havane ajoutent de la profondeur à un décor beige.

Constituer une combinaison de couleurs

*U*ne nouvelle combinaison de couleurs peut complètement changer une pièce ou même toute la maison. Sans changer de meubles ou de tapis, on peut transformer la pièce la plus ordinaire en un lieu de séjour accueillant rien qu'en y introduisant des couleurs et des motifs nouveaux.

On décore la plupart des pièces en se basant sur une des trois combinaisons principales de couleurs. Dans la combinaison monochrome, ou combinaison à une couleur, on utilise plusieurs nuances d'une même couleur, comme le bleu pâle et le bleu foncé. Dans la combinaison de couleurs voisines, appelée aussi combinaison analogue, on utilise deux ou trois couleurs voisines l'une de l'autre sur le disque des couleurs. Une pièce décorée de couleur bleue et lavande illustrerait ce type de combinaison. Dans la combinaison de couleurs complémentaires, on utilise des couleurs opposées sur le disque des couleurs, comme la couleur pêche et le bleu.

Les combinaisons de couleurs sont basées sur des choix personnels, et vous devez adopter pour les pièces de votre maison les combinaisons de couleurs qui vous plaisent. Mais il est parfois difficile de choisir. Les pages suivantes vous aideront à sélectionner les combinaisons de couleurs qui répondent à vos besoins et à vos goûts. Vous y découvrirez également l'effet qu'ont les combinaisons de couleurs sur l'apparence des pièces et l'impression que celles-ci dégageront. Comme vous avez appris les effets des couleurs individuelles, dans la section précédente, vous pourrez utiliser l'information contenue dans cette section-ci pour combiner les couleurs de manière qu'elles répondent à vos besoins dans chaque pièce de la maison.

Combinaison monochrome

ans la combinaison monochrome, on utilise plusieurs nuances d'une même couleur. Les combinaisons monochromes sont faciles à créer et mettent une note tranquille dans la pièce. Ces combinaisons offrent beaucoup plus de possibilités qu'on pourrait le croire.

En variant les valeurs des couleurs — c'est-à-dire en mêlant des couleurs pâles et foncées — et en meublant la pièce d'éléments dans des tons neutres, vous rendrez celle-ci attrayante et harmonieuse. L'amalgame de l'intensité des couleurs et des types de motifs que vous choisissez peut produire des effets aussi opposés qu'une impression de calme ou une impression de démesure. Vous pouvez soit concevoir une combinaison à partir d'une seule couleur pure, ou utiliser le blanc ou une couleur neutre — le beige ou le gris — comme base de votre décoration monochrome.

En général, dans une combinaison monochrome, ce sont les éléments pâles qui ressortent. Mettez en évidence les éléments les plus attrayants de la pièce à l'aide des couleurs pâles et utilisez les couleurs foncées pour noyer les éléments moins attrayants dans le décor. Dans les petites maisons, on peut répéter, dans des pièces adjacentes, une même combinaison monochrome, mais en utilisant différents motifs et textures. Cela donnera une certaine unité aux différentes pièces.

Page opposée : cette combinaison subtile de bleus est faite d'un équilibre délicat entre les différents bleus pâles, eux-mêmes équilibrés par des éléments neutres, dans les tons crème.

Ci-dessous : différentes nuances de bleu moyen et des accents de bleu foncé créent une combinaison qui fait ressortir les meubles choisis dans les tons neutres.

Combinaison de couleurs voisines

On crée une combinaison de couleurs voisines lorsqu'on décide d'utiliser différentes nuances de deux ou trois couleurs situées à proximité l'une de l'autre sur le disque des couleurs. Par exemple, une sélection de bleus, de pourpres et de violets forme une harmonieuse combinaison de couleurs voisines, et il en est de même pour une combinaison de nuances de jaune et de vert. Les valeurs des couleurs que vous choisissez détermineront l'impression générale qui se dégagera de la pièce. Des couleurs voisines pâles auront un effet relaxant, tandis que des couleurs voisines foncées rendront la pièce plutôt élégante et sévère.

Une pièce dont la décoration est basée sur une combinaison de couleurs voisines donne une impression d'unité et de tranquillité. La combinaison de couleurs voisines est relativement facile à réaliser, mais il faut équilibrer soigneusement les couleurs pour donner du relief à la pièce. Une pièce ne sera jamais terne si vous choisissez une ou deux couleurs dominantes auxquelles vous ajoutez des touches décoratives choisies dans des teintes plus écartées des couleurs dominantes sur le disque des couleurs. Par exemple, si vous créez une combinaison de couleurs voisines basées sur le bleu lavande et le bleu, choisissez plusieurs nuances de bleu lavande et de bleu pâle pour certains éléments dominants de la pièce et distribuez ensuite quelques touches de bleu foncé et de pourpre. Et pour équilibrer le tout, utilisez d'autres éléments dominants neutres, c'est-à-dire dans les tons blancs, crème, ou gris.

Page opposée : cette combinaison de couleurs voisines est faite d'éléments pourpres, bleus et verts. Les touches de pourpre foncé et de vert foncé ainsi que des éléments imposants dans les teintes neutres harmonisent l'ensemble.

Ci-dessous : cette combinaison de bleu et de pourpre est égayée par des touches de bleu foncé, de violet et de magenta.

Combinaison de couleurs complémentaires

L a gamme des effets produits par les combinaisons de couleurs complémentaires est très étendue ; elle va de l'impression chaleureuse et tonique à l'effet de surprise, en passant par toutes les nuances intermédiaires. On obtient ces combinaisons en utilisant différentes couleurs opposées sur le disque des couleurs, comme la couleur pêche et le bleu pâle, ou le rose et le vert clair. Dans une combinaison de couleurs complémentaires réussie, les couleurs se mettent mutuellement en valeur au bénéfice du contraste des teintes. Il existe une méthode simple d'utiliser les combinaisons de couleurs complémentaires qui consiste à choisir un groupe de couleurs chaudes et un autre groupe de couleurs froides, contrastantes. On peut soit équilibrer les couleurs complémentaires, soit faire dominer l'une d'entre elles pour que la pièce dégage une impression ou de chaleur ou de froideur.

Comme c'était le cas dans les combinaisons de couleurs voisines, il faut soigneusement harmoniser les teintes constituant la combinaison de couleurs complémentaires et leur ajouter des éléments neutres qui adouciront le contraste entre les tons complémentaires. Décidez si vous voulez que l'ensemble de la pièce soit pâle ou foncé et ajoutez des touches de couleurs opposées. Par exemple, vous obtiendrez une combinaison pâle de couleurs complémentaires en optant pour des couleurs complémentaires pâles, et des éléments neutres de couleur pâle, pour les éléments dominants, et foncés, pour les touches additionnelles.

Page opposée : la couleur pêche et le bleu dominent la combinaison de couleurs complémentaires dans cette chambre d'enfant. Le ton chaud de la commode en bois et les rayures du tapis donnent du relief à la décoration.

Ci-dessous : dans ce salon, la chaleur du ton pêche est soulignée par des touches froides de bleu.

Utiliser des motifs

Les motifs et le grain des surfaces accentuent l'attrait visuel d'un ensemble décoratif. Bien que les revêtements muraux et les meubles capitonnés soient les moyens les plus spectaculaires de donner du cachet à une pièce, d'autres moyens discrets sont également efficaces ; c'est le cas des éléments décoratifs des fenêtres, les petits tapis et les petits coussins carrés. Pour bien décorer une pièce, on peut utiliser un seul motif ou en utiliser plusieurs, voisins par la couleur ou le style.

Dans les pages suivantes, on montre qu'il est possible de classer tous les motifs dans l'une ou l'autre des quatre catégories suivantes : motifs géométriques, gros motifs, petits motifs et motifs pleins. Chaque type de motifs influence fortement le style de la pièce. Par exemple, un imprimé audacieux, abstrait, comme revêtement mural, suggère un style contemporain, tandis qu'un revêtement mural à petit motif floral suppose un style traditionnel ou rustique.

Les motifs et les combinaisons de couleurs vont de pair. En parcourant cette section, vous remarquerez à quel point les couleurs d'un revêtement mural, d'un tapis ou de l'élément décoratif d'une fenêtre rehaussent la combinaison de couleurs de l'ensemble de la pièce.

Tout comme les couleurs, les motifs influencent votre perception de la pièce. Dans cette section, vous apprendrez comment un motif peut créer une illusion de hauteur ou d'espace. Vous verrez également comment le type de motifs utilisé agit sur le ton général de la pièce. Lorsque vous connaîtrez les caractéristiques de chaque type de motifs et les effets visuels qu'ils procurent, vous aurez plus de facilité à obtenir l'effet que vous recherchez.

Motifs géométriques

Les motifs écossais, à lignes, à carreaux et à damiers sont parmi les motifs géométriques les plus couramment utilisés dans la décoration. Les gros motifs géométriques sont plutôt audacieux et frappants ; ils produisent un effet d'engouement lorsqu'on les utilise comme éléments dominants. Par contre, utilisés plus discrètement, ils mettent une touche de surprise et de charme dans le décor. Les petits motifs géométriques laissent une impression plus subtile et intègrent naturellement les couleurs des rechampis dans la décoration de la pièce. Pour éviter de surcharger la pièce, équilibrez les motifs géométriques dominants par des touches de couleurs unies.

Contrairement aux autres motifs, les motifs géométriques peuvent accentuer les éléments architecturaux d'une pièce et atténuer ses défauts. Bien pensés, ils peuvent créer des illusions d'optique. Par exemple, les motifs à lignes verticales marquées font paraître le plafond plus haut qu'il n'est, et les motifs à lignes horizontales accentuées font paraître les grands objets plus petits.

Page opposée : le revêtement mural à losanges et les panneaux à lignes verticales attirent l'œil vers le haut, ajoutant ainsi illusoirement de la hauteur à la pièce.

Ci-dessous : le motif gris du revêtement mural fait ressortir la forme de la pièce. Le ton neutre des meubles et du tapis fait équilibre au motif.

Gros motifs

*L*es fleurs, les fruits et les légumes ne sont que quelques-uns des gros motifs que l'on trouve couramment sur les revêtements et les tissus muraux. Les gros motifs ont généralement un effet stimulant et il faut les utiliser de préférence dans les endroits animés tels que les chambres d'enfants, une grande cuisine, un vestibule, une salle de jeu ou une salle de séjour. Utilisez-les avec parcimonie dans les pièces qui servent à la détente comme les chambres à coucher et les salles de bains principales. Choisis avec soin, certains éléments ajoutés — tels qu'un petit tapis, un coussin carré ou un discret ornement de fenêtre — rendent l'ensemble de la décoration d'une pièce plus attrayant. Dans la plupart des cas, il ne faut utiliser qu'un gros motif dans une pièce. Si on en utilise plusieurs, ils perdent leur originalité et la pièce paraît surchargée.

Les gros motifs sont comme les couleurs foncées : ils paraissent plus proches et rendent les pièces plus petites et plus intimes. Un revêtement mural à gros motifs constitue un excellent moyen de rendre plus accueillante une grande pièce intimidante. On peut incorporer de gros motifs dans la décoration d'une petite pièce, mais si ces motifs sont trop imposants, la pièce paraîtra surchargée.

Page opposée : les murs revêtus de gros motifs foncés semblent plus proches, créant un milieu enveloppant.

Ci-dessous : le revêtement mural à gros motifs rapetisse le salon et le rend plus intime.

Petits motifs

*L*es petits motifs mettent en valeur, par contraste, la combinaison de couleurs d'un arrière-plan. Comme c'est le cas pour les couleurs pâles, les petits motifs produisent une impression de recul ; ils agrandissent et dégagent les espaces réduits. C'est la raison pour laquelle on les utilise souvent pour créer une illusion d'espace dans les petites cuisines et les petites salles de bains.

Les petits motifs ont tendance à se diluer, c'est-à-dire à perdre de leur effet visuel, lorsqu'on les utilise sur de grands murs où dans de grandes pièces. Si vous désirez utiliser un revêtement mural à petits motifs ou de la moquette à petits motifs, équilibrez le motif par des éléments massifs ou un autre style de motifs. Sur les murs, par exemple, vous pouvez rompre la continuité d'un petit motif par une bordure à gros motifs coordonnés comme moulure de couronnement ou comme cimaise à hauteur de fauteuil. De même, vous pouvez faire équilibre à une moquette à petits motifs en ajoutant un petit tapis à gros motifs ou à motifs pleins. Il est souvent difficile d'imaginer l'effet que produira un petit motif sur une grande surface ; vous avez donc intérêt à ramener l'échantillon le plus grand possible à la maison. Si vous envisagez d'installer un revêtement mural à petits motifs, peut-être avez-vous intérêt à acheter un rouleau complet de ce revêtement pour pouvoir vous faire une idée précise de l'effet qu'il produira.

Page opposée : le petit motif du revêtement mural de la partie supérieure des murs est équilibré par les gros motifs des tentures et le revêtement à motifs pleins recouvrant la partie inférieure des murs.

Ci-dessous : le revêtement mural à petits motifs rend attrayante une pièce où dominent des meubles de ton neutre.

Motifs pleins

Les motifs pleins, dont l'ensemble donne l'impression de former un seul dessin serré, constituent probablement les motifs les plus attrayants. Leurs couleurs semblent se mêler intimement, réduisant l'importance du dessin et accentuant celle de la couleur. Les imprimés à motifs pleins sont extrêmement variés, et on peut les utiliser dans n'importe quelle pièce soit comme élément dominant, soit comme rechampi subtil. Comme les motifs pleins peuvent avoir des effets inattendus, il est bon de les examiner attentivement – de près et de loin – pour savoir s'ils conviendront à votre projet de décoration.

Si vous avez des goûts conservateurs et hésitez à utiliser des motifs, les motifs pleins apporteront sans doute la solution la plus sûre à vos problèmes de décoration. En utilisant plus d'un motif plein dans une pièce, vous la rendrez plus attrayante et vous introduirez naturellement les couleurs de rechampi qui uniront tous les éléments de la décoration. Les motifs pleins sont compatibles avec les motifs géométriques, et les gros et les petits motifs, si les teintes sont coordonnées. On peut les utiliser dans une pièce en même temps qu'un ou plusieurs de ces autres types de motifs, pour autant qu'on harmonise le tout à l'aide d'éléments de tons unis et neutres.

Page opposée : le revêtement à motifs pleins dominant s'harmonise parfaitement avec le fauteuil capitonné, recouvert de tissu à gros motifs, et les gravures encadrées.

Ci-dessous : ce revêtement à motifs pleins crée un doux lavis de bleu foncé.

Créer une ambiance

Si vous éprouvez des difficultés à choisir le style ornemental d'une pièce, pensez à la sensation que vous voulez éprouver lorsque vous utiliserez cette pièce. Ainsi, vous pouvez désirer que la cuisine vous rende joyeux ou que la chambre à coucher vous invite à la détente.

Chaque couleur ou combinaison de couleurs inspire des sensations ou dégage une atmosphère différentes. Une fois que vous avez déterminé le ton général de la pièce, il ne vous reste qu'à choisir les teintes coordonnées. Les motifs ont, eux aussi, un effet direct sur l'atmosphère d'une pièce.

Dans les pages suivantes, on présente quelques styles ornementaux populaires, et on décrit les types de couleurs qui créent les différentes atmosphères. Vous y trouverez également des suggestions sur les types de pièces qui se prêtent bien à des atmosphères particulières. Des photographies illustrent ces cas et vous donnent des idées sur la façon de créer des styles ornementaux inspirés par l'atmosphère.

Style ornemental audacieux

Le style ornemental audacieux se caractérise par des tons contrastés tels que les blancs et les noirs ou les teintes complémentaires. Des motifs géométriques aux contours nets et des murs foncés contribuent également à créer ces intérieurs originaux. Le style ornemental audacieux convient particulièrement aux entrées et aux vestibules et, dans certains cas, aux salons.

Style ornemental subtil

L e style ornemental subtil, agréable, utilise des couleurs complémentaires. Il procède souvent d'une recherche d'équilibre entre éléments de tons chauds et éléments de tons froids. Le style ornemental subtil constitue toujours un choix sûr, il convient à n'importe quelle pièce de votre maison.

Style ornemental joyeux

O n peut rendre une pièce ouverte, gaie, en utilisant des couleurs lumineuses saturées qui agrandissent la pièce. Pour créer une sensation d'espace, utilisez des meubles dans les tons pastel, peu contrastés, et une décoration de fenêtre dépouillée, de manière à laisser entrer le plus de soleil possible. Le style ornemental joyeux est tout indiqué pour les pièces fréquentées et les chambres d'enfants.

Style ornemental relaxant

L e meilleur moyen de créer un style ornemental relaxant,
c'est d'utiliser des couleurs voisines froides, peu contrastées. La pièce dégagera une impression d'unité si vous choisissez, pour les tentures, les œuvres d'art, les tapis et les autres
éléments décoratifs des motifs coordonnés qui répètent le style
de couleurs. Optez pour le style ornemental relaxant dans la
décoration des pièces où l'on aime se détendre.

Style ornemental raffiné

D ans le style ornemental raffiné, on utilise des éléments décoratifs de couleur foncée, des tissus riches et des motifs fouillés classiques, qui attirent l'attention. Vous rendrez l'atmosphère plus intime en choisissant, pour les murs, une couleur riche, foncée. La décoration de style raffiné convient particulièrement aux chambres d'amis, aux salles à manger, aux cabinets de toilette et aux salons.

Style ornemental naturel

L e style ornemental naturel utilise essentiellement les tons
terreux, chauds, et les motifs simples. On contrebalance
souvent la chaleur des tons bruns avec des couleurs froides
lumineuses comme le bleu et le gris. Ce style ornemental
s'applique bien à la décoration des bibliothèques et des salles
communes.

Conception définitive d'une pièce

*A*près avoir choisi la combinaison de couleurs et décidé de l'atmosphère d'une pièce, vous êtes prêt à sélectionner la peinture, le revêtement mural et les tissus qui compléteront la décoration. L'information contenue dans cette section vous aidera à trier les échantillons, à les disposer et à faire les meilleurs choix.

Grâce à cette section, vous apprendrez à gagner du temps et à simplifier votre prise de décision en vous servant de collections de tissus, de revêtements muraux et de bordures assortis. Les produits coordonnés coûtent parfois plus cher que les autres, mais ils vous permettent de décorer une pièce avec la sûreté d'un professionnel expérimenté.

Dans cette section, on vous montrera aussi comment tirer parti des éléments existants tels que les dessus de comptoirs, les revêtements de plancher et les accessoires de plomberie, en les intégrant dans le nouveau plan de décoration. Vous apprendrez également à prélever des échantillons des éléments existants, qui vous serviront à choisir la peinture, le revêtement mural et les autres éléments décoratifs de chacune des pièces.

Il est parfois difficile, dans les centres de décoration, de ramener l'éventail des possibilités à quelques échantillons. Dans les pages suivantes, on vous expliquera comment les conseillers professionnels en décoration s'y prennent et comment vous devez procéder pour ne ramener à la maison qu'une poignée d'échantillons à examiner plus en détail.

On vous proposera également des méthodes éprouvées pour tester les échantillons dans les pièces dont vous désirez changer la décoration. Ces méthodes vous aideront à vous faire une idée réaliste de l'aspect que prendront la peinture, les revêtements muraux et les tissus lorsque la décoration sera terminée.

Collections d'éléments assortis

Les collections de tissus, revête-ments muraux et bordures assortis vous offrent une grande souplesse dans la conception. Vous pouvez créer une impression d'unité dans une pièce en utilisant le même tissu pour les tentures, les coussins et l'habillage des sièges.

Combinaison peu contrastée

Le tissu à motif unique, utilisé pour les tentures et les sièges, crée une impression d'unité. Ici, on a choisi de peindre le mur dans la lumineuse couleur de fond du tissu. La pièce s'en trouve agrandie, car les sièges semblent se fondre dans les murs. En répétant le motif, on étendra l'impres-sion d'unité aux pièces adjacentes.

Combinaison fort contrastée

On a adopté pour les murs le vert foncé du tissu, ce qui crée un contraste saisissant avec la couleur claire de la moquette et des tissus d'ameublement. Le motif détaillé de la bordure du revêtement mural contraste avec les couleurs unies qui l'entourent.

Combinaison à motifs multiples

On peut combiner avec succès plusieurs motifs dans une même pièce. Dans cette pièce, l'unité est créée par la ressemblance des motifs floraux et la répétition des couleurs. La bordure du revêtement mural fait le lien entre les différents éléments de la pièce.

Tenir compte
des couleurs existantes

Il est parfois nécessaire de baser la combinaison de couleurs d'une pièce sur des surfaces ou des accessoires existants qu'on ne compte pas remplacer, tels que les carreaux ou la moquette, ou une baignoire, un lavabo et une toilette de couleur. Souvent, on conserve également les dessus de comptoirs, car leur remplacement coûte cher.

Pour intégrer facilement ces objets au nouveau style de la pièce, on peut choisir des couleurs et des revêtements muraux qui attirent plus le regard.

Si les surfaces existantes ont des couleurs pastel ou neutres, vous pouvez attirer l'attention en introduisant des couleurs plus fortes ou plus lumineuses dans la pièce. Par exemple, si les accessoires en porcelaine de la salle de bains sont vert menthe, vous pouvez choisir un motif dont la couleur prédominante est le vert forêt. Et, si les couleurs existantes sont lumineuses, vous pouvez atténuer leur effet en ajoutant des couleurs estompées.

On peut aussi reproduire les couleurs existantes dans les détails d'un motif du revêtement mural ou dans de petits accessoires tels que le porte-savon ou le téléphone. On intègre ainsi l'ancien accessoire ou l'ancienne surface au nouveau plan de décoration.

Conseils pour intégrer les couleurs existantes

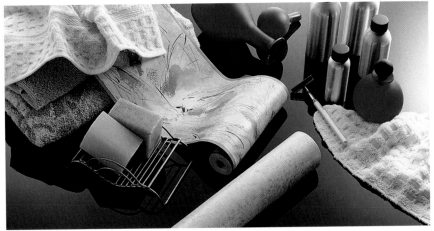

Il faut contrebalancer les tons lumineux (bleu cobalt dans cette salle de bains) des accessoires avec le ton neutre d'autres accessoires. De plus, vous pouvez ajouter de petits accessoires qui auront la teinte lumineuse et qui feront le lien avec les accessoires audacieux.

Cet échantillon de couleur représente le bleu lumineux des accessoires en porcelaine.

Les accessoires de couleur pastel — une baignoire, un lavabo et une toilette vert menthe, par exemple — attirent moins l'attention si on les entoure d'objets qui présentent des nuances plus lumineuses ou plus foncées de la même couleur. Ici, on a utilisé des objets vert foncé avec des accessoires vert pâle. Les accessoires jaunes servent d'éléments décoratifs.

Cet échantillon de couleur représente le vert pâle des accessoires en porcelaine.

On peut contrebalancer la couleur grise des carreaux de plancher en ajoutant des accessoires qui ont des couleurs plus vives. Ici, on a utilisé le noir, le blanc et le rouge pour les accessoires de la pièce, et une touche de gris dans le revêtement mural.

Cet échantillon de couleur représente le gris des carreaux existants.

Sélection des peintures et des revêtements muraux

Lorsque vous vous rendez dans les magasins pour acheter une nouvelle peinture ou un nouveau revêtement mural, emmenez des échantillons de tissu et autres accessoires de votre ameublement. Des photographies de la pièce à décorer peuvent vous donner et donner aux vendeurs une idée plus précise de son agencement et de ses caractéristiques architecturales.

De nombreux centres de décoration ont à leur service des conseillers professionnels qui aident gratuitement les clients. Le présentoir des peintures d'un centre de décoration peut contenir plus de mille couleurs différentes, et le rayon des revêtements muraux contient souvent des centaines de livres d'échantillons. Vous pouvez éliminer rapidement une grande partie de ceux-ci en comparant les échantillons que vous avez amenés aux bandes de couleurs et aux échantillons de revêtements du magasin.

Avant de fixer votre choix, ramenez toujours plusieurs échantillons de peinture et de revêtements muraux chez vous et examinez-les pendant un jour ou deux. Regardez-les dans la pièce que vous décorez pour déterminer comment les couleurs, les motifs et l'ameublement existant s'assortissent. N'oubliez pas que les couleurs changent suivant l'éclairage, et faites le test de 24 heures qui est décrit à la page 57.

Conseils pour choisir les peintures et les revêtements muraux

Lumière du jour	Éclairage incandescent	Éclairage fluorescent

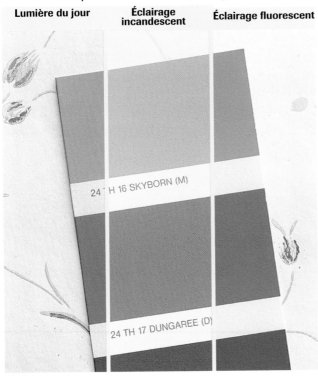

Dans le magasin, vérifiez les échantillons de peintures et de revêtements muraux à la lumière du jour et à la lumière artificielle, et n'oubliez pas que l'éclairage du magasin diffère sans doute de celui de votre maison.

Ne ramenez pas plus de trois échantillons de couleurs et de revêtements muraux différents. La décision finale sera d'autant plus facile à prendre qu'ils sont moins nombreux.

Examinez l'extrémité foncée de la bande de couleurs pour déterminer la teinte de base d'un blanc cassé. Toutes les teintes de blanc cassé contiennent un soupçon d'une autre couleur.

Sélectionnez certains livres d'échantillons de revêtements muraux en les feuilletant tous, rapidement. Un coup d'œil rapide vous fait gagner du temps et vous fait découvrir les livres que vous voulez examiner plus à fond. (suite à la page suivante)

Conseils pour choisir les peintures et les revêtements muraux (suite)

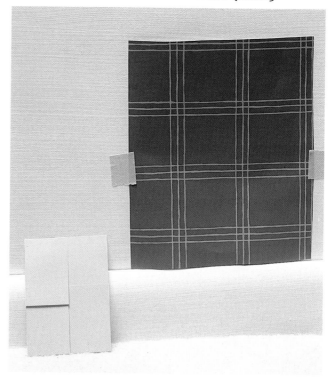

Attachez ensemble quatre échantillons de peinture. Plus les échantillons sont grands, plus ils permettent de juger. Coupez les bords blancs qui risquent de vous distraire.

Jugez de l'effet de chaque échantillon de peinture et de revêtement mural dans la pièce à décorer. Placez les échantillons de couleur verticalement pour que la lumière les frappe suivant le même angle qu'elle frappe le mur. À l'aide de ruban-cache, attachez l'échantillon de revêtement mural au mur sur lequel vous installerez le revêtement.

Avant de prendre une décision définitive, découpez un grand échantillon de revêtement mural pour le soumettre au test des 24 heures (page opposée). Les centres de décoration fournissent habituellement ce genre d'échantillons ou ils vous laissent emprunter les livres d'échantillons.

Achetez un litre de la peinture que vous avez choisie. Peignez un grand morceau de carton que vous attacherez sur le mur. Suivez le test des 24 heures (page opposée) avant d'acheter toute la quantité de peinture et tout le revêtement mural dont vous aurez besoin.

Le test des 24 heures

L'éclairage influe sur la couleur. Pour juger de l'aspect de la peinture et du revêtement mural dans une pièce particulière, fixez un grand échantillon sur le mur et regardez-le de temps en temps au cours de la journée. Ne perdez pas de vue le changement de couleur selon l'éclairage. Si la pièce est plus utilisée à un certain moment de la journée, regardez bien la couleur à ce moment-là. Les couleurs de la peinture et du revêtement mural vous paraîtront différentes de ce qu'elles étaient au centre de décoration. L'ameublement, les boiseries et les planchers réfléchissent leurs propres couleurs sur les murs, ce qui change l'aspect de ceux-ci.

L'éclairage incandescent intérieur est généralement jaunâtre, même si le type d'ampoule choisie et l'abat-jour modifient sa couleur.

La lumière du jour est bleuâtre à la mi-journée, mais elle a une teinte chaude, orange, au lever et au coucher du soleil.

Éléments fondamentaux de la peinture et du recouvrement mural

Se préparer

L a préparation est la clé de la réussite, dans un projet de peinture ou de revêtement mural. La préparation consiste à choisir les outils appropriés, à enlever ou à recouvrir les meubles qui doivent être protégés, à réparer les murs et les plafonds, à réparer les boiseries, à masquer et à recouvrir les éléments qui doivent l'être et à appliquer des apprêts.

Dans cette section, vous apprendrez à choisir les outils et le matériel dont vous aurez besoin pour vous préparer, et qui ont la préférence des peintres professionnels. Vous apprendrez également de nombreuses « ficelles du métier » qui vous feront gagner du temps et vous aideront à travailler plus efficacement.

Dans le plan simple que nous vous proposons, vous trouverez les instructions à suivre pour préparer une pièce en vue de protéger les meubles, la quincaillerie et les accessoires contre les éclaboussures de peinture.

La surface des murs abîmés doit être refaite et être parfaitement lisse avant qu'on la peigne ou qu'on installe un revêtement mural.

En suivant les méthodes de préparation et de réparation des murs et des plafonds décrites dans cette section, vous pourrez enlever efficacement les anciens revêtements muraux, dissimuler les souillures, éliminer les traces de moisissure, repeindre les endroits où la peinture s'est écaillée, dissimuler les imperfections de surface et réparer les trous. Dans cette section, on vous donne également des conseils sur la réparation des boiseries à la teinture ou à la peinture.

Le masquage et le recouvrement constituent parfois la partie la plus longue du processus de préparation. En suivant les étapes décrites dans cette section, vous vous simplifierez la tâche.

L'apprêt ou le scellement, étape finale de la préparation, est une étape critique si l'on veut obtenir un fini de qualité. En suivant les instructions données dans cette section pour apprêter et sceller toutes les surfaces avant de les peindre ou de les teinter, vos obtiendrez des résultats dignes d'un professionnel.

Escabeaux et échafaudages

*P*our peindre la plupart des surfaces intérieures, vous n'avez besoin que de deux escabeaux de qualité et d'une planche. Pour peindre les endroits élevés, construisez-vous un échafaudage simple en installant une planche sur les échelons de deux escabeaux. Pour ne pas perdre l'équilibre ni risquer de dépasser les extrémités de la planche, choisissez des escabeaux assez hauts. Achetez une planche droite, de 2 po x 10 po de section, n'ayant pas plus de 12 pi de long, ou louez-la chez un distributeur de matériel ou une compagnie de location.

L'étiquette du fabricant vous renseigne sur le poids que l'escabeau peut supporter et elle donne les instructions d'utilisation. Lorsque vous achetez un escabeau, lisez-la attentivement. Choisissez un escabeau qui peut supporter votre poids et celui des outils et du matériel que vous comptez utiliser.

Comment constuire un échafaudage

Pour atteindre les endroits élevés et les plafonds, montez un simple échafaudage en posant une planche sur les mêmes échelons de deux escabeaux. La planche ne doit pas avoir plus de 12 pi de long. Les escabeaux doivent se faire face de manière que les échelons soient à l'intérieur de l'échafaudage. Assurez-vous que les cales des escabeaux sont poussées vers le bas et verrouillées, et regardez où vous mettez les pieds.

Comment constituer un échafaudage d'escalier

Pour constituer un échafaudage d'escalier, posez un côté de la planche sur l'échelon d'un escabeau et l'autre sur une marche d'escalier. Vérifiez la stabilité de l'escabeau et assurez-vous que la planche est bien horizontale. Placez si possible l'échafaudage de manière que la planche soit près du mur, et ne vous étendez jamais exagérément.

Conseils d'utilisation des escabeaux et des échafaudages

Louez une planche chez un marchand de peinture ou dans un centre de location.

Choisissez des planches droites ne présentant ni gros nœuds ni fissures. Choisissez des planches de 2 po x 10 po qui ont une certaine élasticité : les vieilles planches, plus fragiles, risquent de casser subitement.

Poussez les cales vers le bas jusqu'à ce qu'elles soient verrouillées. Les pattes de l'escabeau doivent être de niveau et reposer solidement sur le sol.

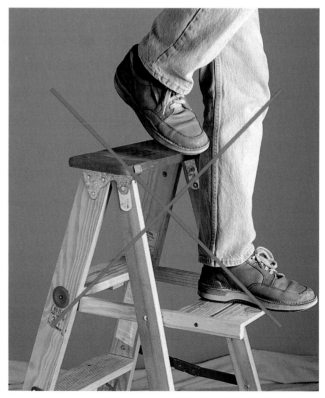

Ne vous tenez pas sur l'échelon supérieur, ni sur la cale, ni sur le prolongement utilitaire de l'échelon.

(Centrez votre poids sur l'escabeau. Déplacez souvent l'escabeau : ne vous étendez pas exagérément.

Vérifiez périodiquement les boulons des échelons et resserrez-les si nécessaire.

Placez toujours l'escabeau entre vous et l'endroit que vous allez peindre ; ainsi, vous pouvez vous appuyer contre lui pour assurer votre équilibre.

Un escabeau réglable peut servir d'échelle, ou d'escabeau, ou de base à une planche d'échafaudage.

Arroseuse sous pression

Seau

Lampe de travail

Éponge

Gants en caoutchouc

Pinceau

Perceuse sans cordon

Bloc de ponçage

Ponceuse à main

Pistolet chauffant

Couteaux à plaque de plâtre

Couteau à mastiquer

Torche

Rainureuse pour revêtement mural

Outils et matériel de préparation

Vous pouvez réduire ou éliminer la plupart des corvées de nettoyage si vous achetez les outils et le matériel de préparation adéquats. Par exemple, achetez des seaux jetables, en plastique ou en carton, pour préparer le mortier de replâtrage, le mélange pour ruban de plâtre, ou le vernis à la gomme laque. Si le mélange de replâtrage a durci dans le seau, jetez-le simplement : vous éviterez la corvée du nettoyage du seau et vous ne risquerez pas d'obstruer les drains avec le plâtre.

Utilisez une éponge ou une ponceuse à l'eau pour lisser le plâtre ou le mélange à plaque de plâtre tant qu'il est mou ; si vous attendez qu'il sèche, il sera plus difficile à poncer.

Achetez différents outils de replâtrage. Vous aurez besoin d'un couteau à mastiquer étroit pour atteindre les endroits difficiles, et d'un couteau ou d'une truelle, plus larges que les trous à replâtrer dans les murs et les plafonds. Ces outils vous permettront de replâtrer l'endroit en une seule passe, ce qui éliminera les traces d'outil et, conséquemment, le ponçage.

Matériel de masquage et de recouvrement : toiles de peintre en plastique et en tissu, rouleaux de papier-cache, distributeur de ruban-cache, rouleaux de ruban-cache et de ruban de peintre.

Les décapants permettent de préparer la surface à peindre ou à tapisser et accélèrent le nettoyage. (Du coin supérieur gauche, dans le sens des aiguilles d'une montre : la pâte à papier peint, la solution de nettoyage, le décapant à papier peint et le phosphate trisodique.)

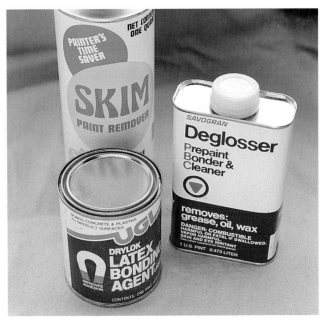

Les liquides de préparation comprennent (du coin supérieur gauche, dans le sens des aiguilles d'une montre) : le décapant pour peinture ; le dégraissant, qui dépolit les surfaces brillantes à peindre ; le liant au latex, pour réparer le plâtre.

Les apprêts et les peintures d'impression fournissent une bonne couche de base qui assure la liaison avec la peinture ou le vernis de finition. (De gauche à droite : l'apprêt à poncer, l'apprêt polyvinylique, le vernis à la gomme laque et l'apprêt alkyde pour plaque de plâtre).

Le reste du matériel comprend : les produits de nettoyage et de ragréage (A), les pièces de réparation (B), le ruban de fibre de verre à joint (C), la pâte à calfeutrer pour éviers et baignoires (D), les carreaux de rechange (E), les crochets muraux (F) et le papier de verre (G).

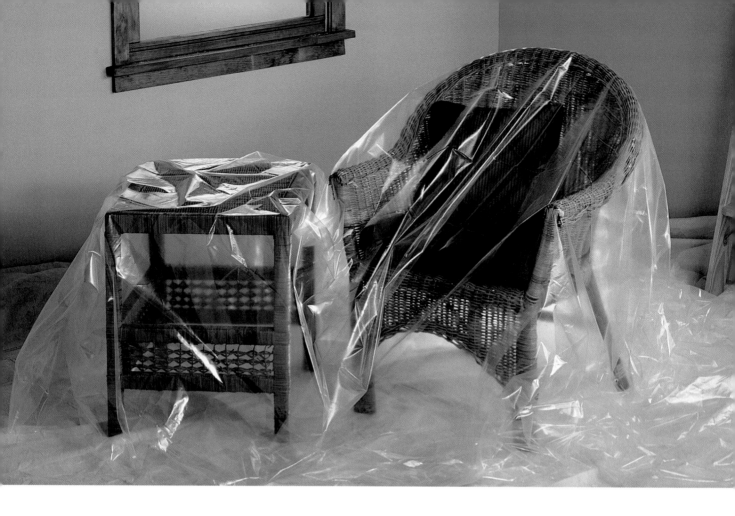

Préparation de la pièce

A vant de peindre, vos devez protéger tout ce qui risque d'être recouvert de poussière ou qui peut être écla-boussé par la peinture. Enlevez toute la quincaillerie des portes et des fenêtres, les accessoires d'éclairage et les plaques des prises et des interrupteurs. Recouvrez les meubles et couvrez les planchers. Enlevez les grilles des gaines de chauffage et d'air climatisé. Masquez les moulures en bois au moyen de papier autocollant ou de ruban-cache.

Conseil

Lorsque vous enlevez la quincaillerie, marquez les différentes pièces avec du ruban-cache pour pouvoir les reconnaître facilement lorsqu'il faudra les réinstaller.

Comment préparer une pièce

1 Enlevez des surfaces à peindre toute la quincaillerie, comme les poignées de fenêtres et les loquets des armoires. Si vous comptez installer de la quincaillerie neuve, achetez-la et forez les nouveaux trous des vis, s'il y a lieu.

2 Enlevez des surfaces à peindre tous les clous, les vis et les crochets des tableaux. Pour éviter d'abîmer le plâtre des plaques de plâtre, placez un bloc de bois sous la tête du marteau.

3 Enlevez les grilles des gaines de chauffage et de climatisation pour les protéger contre les éclaboussures. Enlevez les thermostats ou protégez-les contre les éclaboussures de peinture au moyen de ruban-cache.

4 Placez les meubles au centre de la pièce et recouvrez-les de feuilles de plastique. Dans les grandes pièces, laissez un passage au centre si vous devez peindre le plafond. Couvrez les planchers de toiles de peintre de 9 onces qui absorbent les gouttelettes de peinture.

5 Coupez l'électricité. Retirez les plaques des prises et des interrupteurs et replacez les vis. Descendez du plafond les luminaires en les séparant des boîtes électriques ou enlevez-les carrément. Couvrez ceux qui pendent à l'aide de sacs de plastique.

Enlèvement des revêtements muraux

L e plus souvent, les revêtements muraux récents, en vinyle, s'arrachent facilement à la main. Certains laissent du papier et de l'adhésif résiduels sur le mur, mais il est facile d'enlever ces résidus avec un peu d'eau. Lorsque le revêtement ne s'arrache pas, il faut percer sa surface à l'aide d'un outil à perforer et appliquer ensuite une solution de décapant qui dissoudra l'adhésif.

Les liquides décapants pour revêtements muraux contiennent des agents mouillants qui pénètrent sous le papier et ramollissent l'adhésif. Utilisez une solution de décapant pour laver l'adhésif qui subsiste après l'enlèvement du revêtement mural.

Si l'ancien revêtement mural a été installé sur des panneaux muraux non scellés, il est possible qu'on ne puisse l'enlever sans détruire le panneau mural. Dans ce cas, on peut peindre directement sur l'ancien revêtement ou installer un nouveau revêtement sur l'ancien, mais la surface de celui-ci doit être lisse et on doit la recouvrir d'un apprêt. Avant de peindre un revêtement mural, recouvrez-le d'un apprêt alkyde pour panneaux muraux.

Comment enlever un revêtement mural

Trouvez un bord décollé et essayez d'arracher le revêtement mural. Souvent, les revêtements en vinyle s'arrachent assez facilement.

1 Si le revêtement mural ne s'arrache pas à la main, couvrez le plancher de feuilles de journaux. Ajoutez du liquide décapant pour revêtements muraux, à l'eau contenue dans un seau, en suivant les instructions du fabricant.

2 Percez la surface du revêtement mural à l'aide d'un outil à perforer : cela permettra à la solution de décapant de pénétrer sous le revêtement et de ramollir l'adhésif.

3 Appliquez la solution décapante au moyen d'une arroseuse sous pression, d'un rouleau à peinture, ou d'une éponge. Laissez-la pénétrer sous le revêtement, en suivant les instructions du fabricant.

4 Arrachez le revêtement décollé en vous servant d'un couteau à plaque de plâtre de 6 po. Veillez à ne pas endommager le plâtre ou le panneau mural. Enlevez toute la pellicule protectrice du revêtement mural.

5 À l'aide de solution décapante, enlevez l'adhésif résiduel et rincez le mur avec de l'eau propre, puis laissez-le sécher complètement.

Réparation des murs et des plafonds

*V*ous donnerez à vos murs un fini durable si vous prenez soin de les laver, de les rincer et de les poncer avant d'y appliquer l'apprêt. Vos murs finis auront la qualité d'un travail de professionnel si vous commencez par chercher leurs imperfections et par réparer le plâtre ou les panneaux muraux qui en ont besoin. Les rubans de fibre de verre autocollants pour panneaux muraux et les pâtes de colmatage prémélangées réduisent le temps de séchage et vous permettent de réparer un mur et de le peindre le même jour.

Lavez et poncez le mur avant de le repeindre. Utilisez une solution de phosphate trisodique et une éponge pour débarrasser les murs de la graisse et de la poussière. Portez des gants en caoutchouc et lavez les murs de bas en haut, à l'aide d'une éponge, pour éviter les traînées. Rincez abondamment les murs à l'eau claire. Laissez-les sécher et poncez légèrement les surfaces.

Enlèvement des taches rebelles

1 Appliquez un détachant sur un linge propre et sec, et frottez doucement la tache.

2 Recouvrez les taches récalcitrantes d'une couche de vernis à la gomme laque pigmenté, qui empêche les taches de transparaître au travers de la nouvelle peinture.

3 Les taches d'eau ou de rouille peuvent être le signe de dommages causés par l'eau. Vérifiez s'il y a des conduites qui fuient et si le plâtre est ramolli par endroits, faites les réparations qui s'imposent et scellez ensuite l'endroit à l'aide d'un produit de scellement antitaches.

Enlèvement de la moisissure

1 Déterminez la nature des taches en les lavant avec de l'eau et du détergent. Le simple détergent n'enlève pas les taches de moisissure.

2 Portez des gants en caoutchouc et des Lunettes protectrices, et lavez les taches de moisissure à l'aide d'un nettoyant qui détruit les spores de la moisissure.

3 Après le traitement au nettoyant, enlevez la moisissure à l'aide d'une solution de phosphate trisodique et rincez l'endroit à l'eau claire.

Ragréage de la peinture qui s'écaille

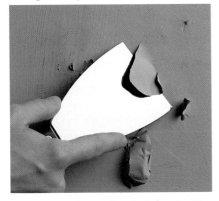

1 Au moyen d'un couteau à plaque de plâtre, grattez toute la peinture écaillée.

2 Appliquez du plâtre à reboucher au bord de la peinture écaillée, à l'aide d'un couteau à mastiquer ou d'un couteau flexible à plaque de plâtre.

3 Polissez l'endroit avec du papier de verre industriel 150. La surface réparée doit être lisse au toucher.

Remplissage des trous laissés par les clous

1 Appliquez du plâtre à reboucher léger sur les trous, à l'aide d'un couteau à mastiquer ou avec le doigt. De cette manière, l'endroit de la réparation sera très circonscrit et facile à dissimuler sous la peinture. Laissez sécher le plâtre à reboucher.

2 Poncez légèrement l'endroit de la réparation au moyen d'un papier de verre industriel 150, dont la surface ouverte ne se colmate pas facilement. Essuyez la poussière avec une éponge humide et appliquez une couche d'apprêt polyvinylique.

Remplissage des petites entailles et des petits trous

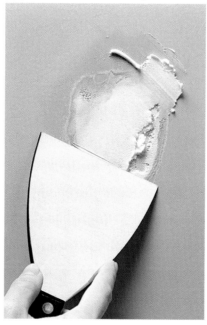

1 Éliminez les particules de plâtre détachées ou la peinture écaillée, ou le papier du revêtement mural, en grattant la surface ou en la frottant au papier de verre, pour offrir une base solide à la réparation.

2 Remplissez le trou de mélange léger à plaque de pâtre. Utilisez un couteau dont la largeur dépasse à peine le largeur de l'endroit à réparer. Laissez sécher le mélange.

3 Frottez légèrement la surface au papier de verre industriel 150.

Comment réparer les endroits où les clous sont apparents

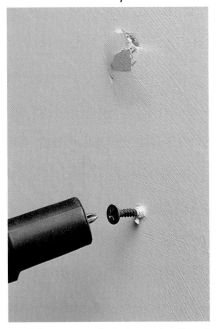

1 Enfoncez une vis à plaque de plâtre à 2 po du clou qui a sauté. Assurez-vous de bien enfoncer la vis dans un poteau ou une entretoise et vissez-la jusqu'à ce qu'elle attache solidement le panneau mural à l'ossature.

2 Grattez toute trace de peinture et de plâtre détaché, et renfoncez le clou jusqu'à ce que la tête soit 1/16 po en retrait de la surface du panneau mural. N'enfoncez pas le clou à l'aide d'un chasse-clou.

3 À l'aide d'un couteau à mastiquer, appliquez trois couches de mélange à plaque de plâtre sur les trous des clous et des vis, en laissant sécher le mélange entre chaque couche. Poncez l'endroit réparé et re-couvrez-le d'un apprêt.

Comment réparer les fissures dans le plâtre

1 Grattez la texture de surface et les parti-cules de plâtre détachées autour de la fissure. Renforcez l'endroit de la fissure à l'aide de ruban de fibre de verre autocollant pour panneaux muraux.

2 À l'aide d'un couteau à plaque de plâtre ou d'une truelle, recouvrez le ruban d'une couche de mélange à plaque de plâtre juste assez épaisse pour dissimuler le ruban : une couche trop épaisse se fissurerait de nouveau.

3 N'appliquez une deuxième couche mince que si c'est nécessaire pour dissimuler les bords du ruban. Poncez légèrement l'en-droit réparé. Refaites la texture de la surface (pages 112-113).

Comment replâtrer des petits trous dans un panneau mural

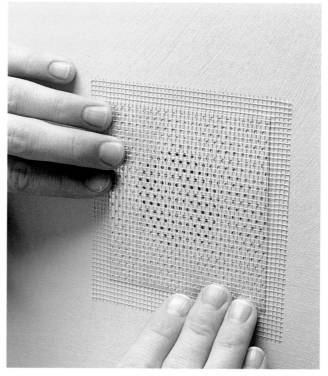

1 Examinez l'endroit abîmé. Si les bords du trou ne présentent pas de fissures, remplissez simplement le trou d'un mélange à plaque de plâtre, laissez sécher et lissez la surface avec du papier de verre.

2 Si les bords du trou sont fissurés, couvrez le trou d'un morceau de surface maillée autocollante. Ces surfaces, dont l'âme des mailles est en métal, sont résistantes, et vous pouvez les découper et leur donner la forme désirée. Elles ont différentes dimensions.

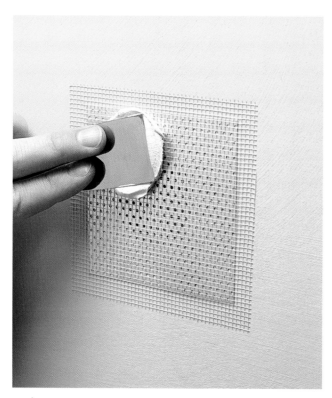

3 À l'aide d'un couteau à plaque de plâtre, appliquez sur la surface maillée une mince couche de vernis à la gomme laque ou de mélange à plaque de plâtre. Deux couches sont parfois nécessaires. Attendez que l'ensemble soit presque sec.

4 Utilisez une éponge humide ou du papier abrasif à l'eau pour polir l'endroit réparé. Vous éviterez ainsi de produire trop de poussière.

Comment replâtrer de gros trous

1 Délimitez l'endroit abîmé au moyen d'une équerre de charpentier. À l'aide d'une scie à plaque de plâtre ou d'une scie sauteuse, découpez la partie endommagée.

2 Installez des lamelles en bois ou en plaque de plâtre qui serviront de supports. Pour le bois, utilisez un pistolet à vis pour enfoncer des vis à plaque de plâtre de 1¼ po, qui fixeront les lamelles.

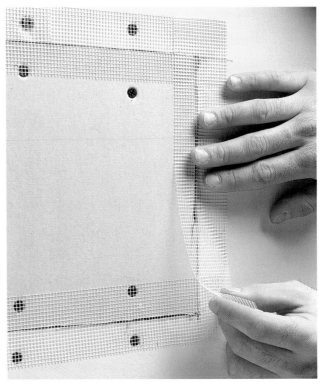

Ou, au lieu des lamelles en bois, utilisez des lamelles en plaque de plâtre collées avec de la colle chaude. Coupez ensuite une plaque de plâtre à la dimension voulue et vissez-la ou collez-la en place, sur les lamelles servant de supports.

3 Couvrez les joints de ruban à plaque de plâtre et terminez la réparation en appliquant du mélange à plaque de plâtre et en ponçant l'endroit avec du papier abrasif à l'eau (page opposée).

Réparation des trous dans le plâtre

Les méthodes et les matériaux de réparation modernes ont simplifié le travail de réparation des trous dans le plâtre. En couvrant l'endroit abîmé de liant liquide au latex, on obtient une réparation bien liée, solide et sans fissures. Le liant liquide élimine en outre le besoin d'humidifier et le plâtre et la latte arrière pour éviter le séchage prématuré et la fissuration. Demandez à votre quincaillier de vous recommander un liant liquide au latex de bonne qualité pour réparer le béton et le plâtre.

Comment réparer les trous dans le plâtre

1 Frottez les bords du trou avec du papier de verre, ou grattez-les pour éliminer la peinture texturée.

2 À l'aide d'un couteau à plaque de plâtre, vérifiez l'état du plâtre qui entoure l'endroit endommagé. Grattez le plâtre détaché ou ramolli.

3 Appliquez une généreuse couche de liant liquide au latex sur les bords du trou et sur la latte pour créer une liaison sans fissures entre l'ancien plâtre et le nouveau.

4 Mélangez le plâtre en suivant les instructions du fabricant et remplissez-en le trou, au moyen d'un couteau à plaque de plâtre ou d'une truelle. Remplissez d'une seule couche de plâtre les trous peu profonds.

5 Remplissez les trous plus profonds d'une première couche mince et quadrillez-la quand elle est encore humide. Laissez-la sécher et appliquez ensuite la deuxième couche de plâtre. Laissez-la sécher également et poncez légèrement.

6 Recréez la texture de la surface en utilisant de la peinture texturée ou du mélange à plaque de plâtre, en suivant les indications des pages 112-113.

Décapage du bois peint

A vant de peindre ou de revernir le bois, nettoyez-le, réparez-le et poncez-le. Si l'ancienne peinture est épaisse ou fortement écaillée, enlevez-la complètement avant de repeindre.

Si vous utilisez un pistolet chauffant, prenez garde de ne pas roussir le bois. N'utilisez jamais le pistolet chauffant après vous être servi de décapants, car les résidus chimiques risquent de s'évaporer ou de s'enflammer au contact de la chaleur.

Si vous utilisez un décapant à peinture, portez des vêtements protecteurs et l'équipement de protection approprié, y compris des lunettes de sécurité et un respirateur. Suivez les instructions d'utilisation sécuritaire figurant sur l'étiquette et assurez une bonne ventilation de l'endroit où vous travaillez.

Comment utiliser un décapant à peinture

1 Pour utiliser les décapants en toute sécurité, suivez les instructions qui sont sur l'étiquette. Portez des gants épais en caoutchouc et protégez-vous les yeux, utilisez de la toile de peintre et ouvrez les portes et les fenêtres pour ventiler la pièce.

2 Appliquez généreusement le décapant sur la surface, au moyen d'un pinceau ou de laine d'acier. Laissez agir le produit jusqu'à ce que la peinture commence à cloquer. Ne laissez pas le décapant sécher sur des surfaces en bois.

3 Nettoyez le grain du bois décapé en grattant la peinture, dès qu'elle se ramollit, avec un couteau à mastiquer ou un grattoir, et de la laine d'acier. Frottez le bois décapé avec de l'alcool dénaturé et de la laine d'acier neuve pour mieux nettoyer le grain du bois. Essuyez ensuite le bois à l'aide d'une éponge humide ou d'un linge imbibé de solvant, selon les instructions qui figurent sur l'étiquette du récipient de décapant.

Comment utiliser un pistolet chauffant

1 Tenez le pistolet près du bois jusqu'à ce que la peinture se ramollisse et commence à cloquer. Si vous surchauffez la peinture, vous risquez de la rendre gommeuse ou de roussir le bois. Soyez toujours prudent lorsque vous utilisez un pistolet chauffant à proximité de matériaux inflammables.

2 Enlevez la peinture ramollie à l'aide d'un grattoir ou d'un couteau à mastiquer. Il existe des grattoirs de toutes les formes permettant d'enlever la peinture des moulures. Sablez la surface pour éliminer tout résidu de peinture.

Réparation des boiseries

Pour obtenir de meilleurs résultats, nettoyez, réparez et poncez les boiseries avant de les repeindre. Des liquides permettent de rendre poreuses les surfaces brillantes, pour que la peinture y adhère mieux. Si vous devez installer une nouvelle quincaillerie, vérifiez si les trous destinés aux vis des nouvelles pièces correspondent aux anciens trous. Si vous devez forer de nouveaux trous, rebouchez les anciens avec du bois plastique.

Avant de revernir des boiseries, nettoyez-les avec une essence minérale ou un produit de revernissage pour meubles ; puis, appliquez sur les trous du bois plastique teinté, de la même couleur que les boiseries. Poncez ces endroits et appliquez une ou deux couches de vernis.

Comment préparer les boiseries à repeindre

1 Lavez les boiseries avec une solution de phosphate trisodique. Grattez la peinture écaillée ou détachée. Si la peinture est fortement écaillée, décapez la boiserie.

Comment préparer les boiseries pour les revernir

1 À l'aide d'un couteau à mastiquer, appliquez du bois plastique ou du vernis à la gomme laque sur les trous des clous, les entailles et les autres endroits abîmés.

2 Poncez les surfaces avec du papier de verre industriel 150 jusqu'à ce qu'elles soient douces au toucher. Essuyez les surfaces avec un chiffon collant avant d'appliquer l'apprêt ou la peinture.

3 Nettoyez les boiseries avec un chiffon doux imbibé d'essence minérale inodore ou de dégraissant liquide pour meubles.

2 À l'aide d'un couteau à mastiquer, remplissez de bois plastique les trous et les entailles. Poncez légèrement ces endroits avec du papier de verre 150.

3 Appliquez, sur l'endroit réparé, un produit de scellement pour bois transparent (page 89). Reteignez l'endroit pour que la couleur se fonde dans celle du bois qui l'entoure. Appliquez une ou deux couches de vernis.

Masquage et recouvrement

Pour peindre rapidement des pièces sans rien salir, protégez toutes les surfaces qui risquent d'être éclaboussées. Si vous ne peignez que le plafond, protégez les murs et les boiseries contre les éclaboussures, en pendant des feuilles de plastique. Lorsque vous peignez des murs, masquez les plinthes et les encadrements de fenêtres et de portes.

Enlevez les meubles légers et rassemblez les meubles plus lourds au centre de la pièce avant de les recouvrir de plastique. Recouvrez les planchers de toiles de peintre de 9 oz, qui absorbent les éclaboussures de peinture.

Les produits de masquage et de recouvrement comprennent (du coin supérieur gauche, dans le sens des aiguilles d'une montre) : les feuilles de plastique et les toiles de peintre, le ruban de plastique autocollant, le ruban-cache et le papier-cache. Il existe également des papiers plastifiés et des stratifiés de plastique.

Comment recouvrir les murs

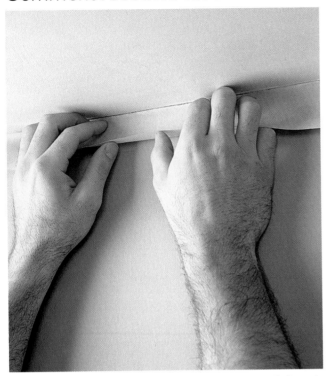

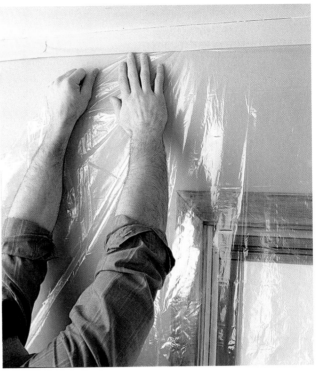

1 Pressez la moitié supérieure du ruban-cache de 2 po, le long du bord supérieur du mur, en veillant à ne pas coller la partie inférieure.

2 Pendez une feuille de plastique en la collant sous la partie inférieure du ruban-cache, pour qu'elle recouvre le mur et la plinthe. Le travail terminé, retirez la feuille dès que la peinture est assez sèche pour ne plus couler.

Comment masquer les garnitures en bois

1 Utilisez du papier-cache ou du ruban-cache larges pour protéger les moulures en bois contre les éclaboussures de peinture. Ne collez qu'un bord du ruban-cache.

2 Passez le coin d'un couteau à mastiquer le long du bord intérieur du ruban pour qu'il adhère plus fortement aux moulures. Quand vous avez fini de peindre, enlevez le ruban-cache dès que la peinture est assez sèche pour ne plus couler.

Dernière vérification et nettoyage

vant de peindre, vérifiez une dernière fois l'endroit. Nettoyez complètement la pièce pour éviter que de la poussière ne se dépose sur les outils et sur la peinture fraîche. Maintenez la pièce à la température et au degré d'humidité préconisés sur les étiquettes des produits. Ainsi, les bords peints demeureront humides, ce qui réduira au minimum les marques des raccords.

De plus, la peinture doit sécher assez rapidement pour que la saleté ne se dépose pas sur les surfaces finies avant qu'elles ne soient sèches. Si vous installez un revêtement mural dans une pièce où règnent les bonnes conditions, l'adhésif ne séchera pas trop rapidement et vous éviterez ainsi les cloques ou les bords non collés.

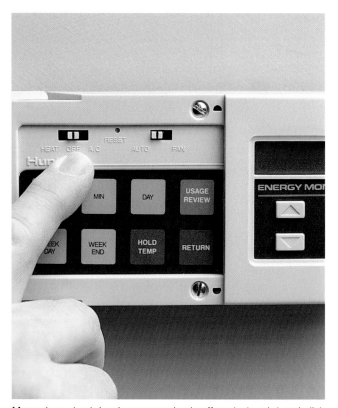

À l'aide d'une ampoule puissante, vérifiez toutes les surfaces à peindre. Poncez, ou réparez et poncez les endroits rugueux qui vous ont échappé lors de la préparation.

Mettez hors circuit les thermostats du chauffage à air pulsé et de l'air climatisé de manière que le ventilateur ne brasse pas la poussière dans la pièce que vous peignez.

À l'aide de papier de verre industriel 150, poncez les surfaces à peindre. Le ponçage rend la surface poreuse et la prépare mieux à recevoir la nouvelle peinture. Essuyez les murs avec un chiffon collant.

Enlevez la poussière des boiseries avec un chiffon collant, ou avec un chiffon propre imbibé de dégraissant liquide.

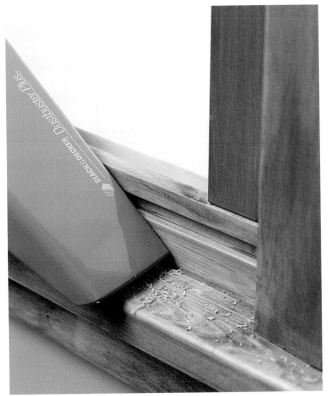

Aspirez la poussière des appuis et des rainures des fenêtres, des plinthes et des châssis.

Si le degré d'humidité est insuffisant, placez un humidificateur dans la pièce avant de peindre ou d'installer le revêtement mural. Vous empêcherez ainsi la peinture ou l'adhésif de sécher trop rapidement.

Apprêts et peintures d'impression

S i le bois doit être verni, appliquez-lui une couche d'impression avant de le vernir. Le bois présente souvent des grains durs et des grains mous, sans compter les grains fortement absorbants des sections transversales. En appliquant une couche d'impression, vous scellez en quelque sorte la surface, de manière que les différents types de grains du bois absorbent uniformément le vernis. Sans couche d'impression, le bois verni risque de présenter un fini moiré.

Les apprêts permettent de sceller les surfaces à peindre. Les endroits rapiécés et les joints des plaques de plâtre qui ont été traités avec un produit de rebouchage ou avec du mélange à plaque de plâtre peuvent absorber la peinture dans une proportion différente que ne le font les surfaces environnantes, et la surface finie peut présenter des zones plus sombres par endroits.

Teintez l'apprêt avec de la couleur de base vendue par les distributeurs de peinture, ou demandez à votre distributeur de teinter l'apprêt. Un apprêt d'une couleur semblable à celle de la couche de finition constitue une excellente base pour celle-ci.

Conseils sur les apprêts et les peintures d'impression

Scellez le bois brut avec un apprêt avant de le peindre, ou avec une peinture d'impression avant de le vernir. Le bois non scellé risque de présenter un fini inégal.

Rendez les surfaces poreuses, au moyen d'une ponceuse vibrante, avant d'appliquer l'apprêt qui assurera une bonne liaison entre l'ancienne peinture et la nouvelle. Les apprêts « accrochent » la nouvelle couche de peinture.

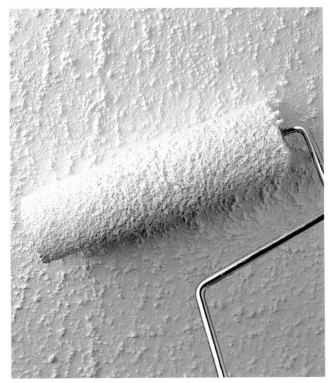

Scellez les surfaces texturées au moyen d'un apprêt alkyde ou polyvinylique et appliquez ensuite une couche de finition en utilisant un rouleau à longs poils. Les murs et les plafonds texturés absorbent beaucoup de peinture, ce qui les rend difficiles à peindre uniformément.

Appliquez un apprêt polyvinylique sur les endroits du plâtre ou des plaques de plâtre que vous avez réparés.

Techniques de peinture

Une couche de peinture fraîche ravive les espaces intérieurs. Après avoir nettoyé, réparé et préparé les murs et les plafonds, vous ferez disparaître les dernières traces d'imperfection en appliquant une nouvelle peinture, qui rehaussera de manière spectaculaire l'aspect de la pièce. En suivant les principes de base présentés dans cette section, vous êtes assuré de donner à vos travaux de peinture un fini de qualité professionnelle.

Dans cette section, nous commençons par vous

apprendre ce que vous devez savoir sur le matériel de peinture : comment l'utiliser en toute sécurité, comment le ranger et comment vous en débarrasser.

Il est parfois difficile de choisir la peinture et les outils appropriés au travail qu'on désire effectuer, surtout si l'on tient compte du vaste choix offert par les fournisseurs de peinture et les maisonneries. Cette section vous fournira les rudiments de la peinture qui vous aideront à choisir les peintures et les outils adaptés à vos travaux intérieurs.

En utilisant des techniques de peinture professionnelles, vous éliminerez les erreurs, vous travaillerez plus efficacement et vous obtiendrez des surfaces au fini impeccable. Les instructions étape par étape que vous trouverez dans cette section vous indiqueront les méthodes à suivre pour peindre les garnitures et appliquer de la peinture sur les murs et les plafonds en utilisant les pinceaux et les rouleaux à peinture. Vous apprendrez les techniques utilisées par les peintres professionnels, c'est-à-dire aussi bien la méthode à utiliser pour conserver un « bord humide » que celle utilisée pour appliquer des couches de peinture texturée.

Les travaux de peinture sont inachevés tant qu'on n'a pas nettoyé la pièce et tous ses outils. À la fin de cette section, on vous donnera des conseils sur le nettoyage et le rangement des outils de peinture ainsi que sur la façon d'enlever les inévitables éclaboussures de peinture.

La sécurité en peinture

Lisez toujours les renseignements figurant sur les étiquettes des contenants de peinture et de solvant. Les produits chimiques qui présentent un danger d'incendie sont classés par ordre d'inflammabilité : combustibles, inflammables, ou extrêmement inflammables. Utilisez prudemment ces produits et n'oubliez pas que les vapeurs sont également inflammables.

L'avertissement « utiliser avec une ventilation adéquate » signifie qu'il ne doit pas s'accumuler plus de vapeurs quand on utilise le produit que si on l'utilisait à l'extérieur. Ouvrez les portes et les fenêtres, utilisez un ventilateur et portez un masque respiratoire si vous sentez des vapeurs de peinture ou de solvant.

Il est risqué d'entreposer les produits chimiques de peinture. N'achetez que la quantité nécessaire au travail prévu et rangez les produits hors d'atteinte des enfants. Utilisez l'excédent de peinture en appliquant une couche supplémentaire ou suivez la réglementation locale concernant l'élimination des restes de peinture.

Lisez les étiquettes. Celles des produits chimiques toxiques ou inflammables donnent des avertissements et les instructions à suivre pour utiliser ces produits en toute sécurité.

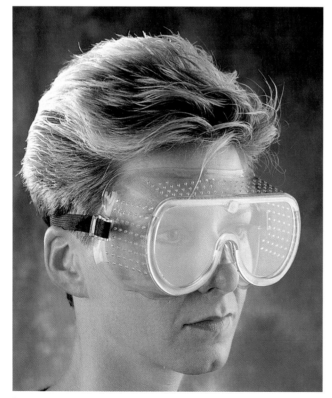

Portez des lunettes de sécurité lorsque vous utilisez des décapants ou des nettoyants, ou que vous peignez plus haut que vous.

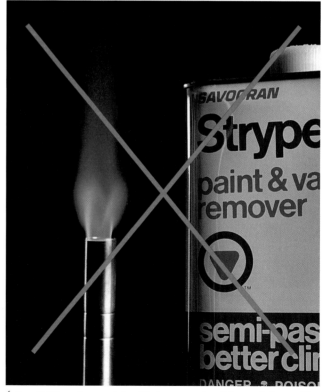

Évitez d'utiliser des produits chimiques combustibles ou inflammables – comme les décapants – près d'une flamme nue. Les appareils munis d'une veilleuse peuvent enflammer les vapeurs chimiques.

Ouvrez les portes et les fenêtres et utilisez un ventilateur pour aérer la pièce. L'avertissement « toxique ou fatal en cas d'ingestion » d'un produit indique qu'il est dangereux de respirer ses vapeurs.

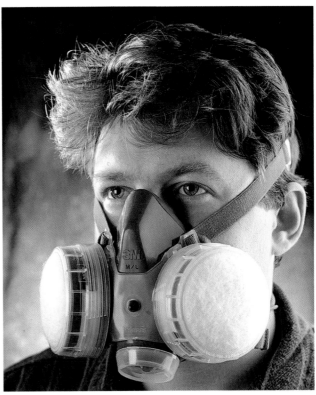

Portez un masque respiratoire si vous ne pouvez aérer suffisamment la pièce. Si vous sentez encore les vapeurs, c'est que la ventilation est inadéquate.

Laissez reposer les diluants après avoir nettoyé vos outils. Lorsque les particules solides se sont déposées, récupérez le diluant clair pour le réutiliser plus tard. Jetez le dépôt.

Éliminez l'excédent de peinture de manière sécuritaire. Laissez le contenant ouvert jusqu'à évaporation complète du solvant. Refermez-le ensuite et débarrassez-vous-en comme des autres déchets.

La sélection de peinture

Les peintures sont soit à base de latex, soit à base de résines alkydes. La peinture au latex s'applique facilement, elle est facile à nettoyer et convient dans la grande majorité des cas, grâce aux progrès réalisés dans la chimie des latex actuels. Les peintres savent que la peinture alkyde laisse un fini plus lisse, mais la réglementation locale restreint parfois son utilisation.

La peinture se caractérise également par son lustre. La gamme des peintures de finition va de la peinture-émail mate à la peinture-émail brillante. La peinture-émail brillante donne un fini lustré en séchant, et on l'utilise sur les surfaces qu'on doit souvent laver, comme les murs des salles de bains, des cuisines et les objets en bois. Quant à la peinture-émail mate, elle est utilisée sur la plupart des murs et des plafonds.

Le prix des peintures reflète normalement leur qualité. En règle générale, achetez la meilleure peinture que vous permet votre budget. Les peintures de qualité sont plus faciles à utiliser et ont plus bel aspect que les peintures bon marché. Étant donné qu'elles durent plus longtemps que les peintures bon marché et qu'elles ont un meilleur pouvoir couvrant, il faut souvent en appliquer moins de couches, ce qui les rend finalement plus économiques.

Avant de peindre une surface neuve, appliquez toujours un apprêt de qualité. L'apprêt adhère bien à toutes les surfaces et forme une base durable qui empêche la peinture de finition de se fissurer ou de s'écailler. Pour éviter les couches supplémentaires de peinture de finition, teintez l'apprêt pour qu'il ressemble à la nouvelle couleur.

Comment estimer la quantité de peinture requise

1) Longueur du mur ou du plafond (en pieds)	
2) Hauteur du mur, ou largeur du plafond	×
3) Surface	=
4) Pouvoir couvrant de la peinture, par gallon	÷
5) Nombre de gallons de peinture requis	=

Comment choisir une peinture de qualité

Vérifiez l'étiquette : le pouvoir couvrant d'une peinture de qualité doit atteindre les 400 pi² par gallon. Il faudra deux ou trois couches de peinture bon marché (à gauche) pour couvrir cette surface.

La lavabilité est une caractéristique de la peinture de qualité. Les pigments des peintures bon marché (à droite) sont sujets au « poudrage » et se diluent dans l'eau lorsqu'on les lave, même en frottant légèrement.

Lustre des peintures

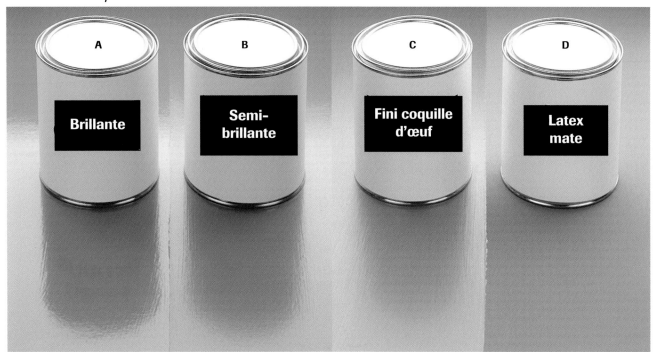

Les peintures se caractérisent par leur lustre ou par le fini de la surface peinte. La peinture-émail brillante **(A)** donne un fini réfléchissant fortement la lumière ; elle est appréciée dans les endroits où la lavabilité est essentielle. Toutes les peintures brillantes font ressortir les défauts. La peinture-émail alkyde est la plus brillante. La peinture-émail au latex semi-brillante donne des surfaces à haute lavabilité et un peu moins réfléchissante. Comme la peinture-émail brillante, la peinture semi-brillante **(B)** fait ressortir les défauts de surface. La peinture-émail à fini coquille d'œuf **(C)** combine le fini doux et la lavabilité de la peinture-émail. La peinture au latex mate **(D)** est une peinture tout usage donnant un fini doux, qui dissimule les irrégularités de surface.

Outils et matériel

Quelques outils de qualité vous permettront de réaliser la plupart des travaux de peinture. Achetez deux ou trois pinceaux de bonne qualité, un bac à peinture qui peut s'attacher à une échelle et un ou deux bons rouleaux. Si vous les nettoyez convenablement, ces outils dureront des années.

N'utilisez les pinceaux en soie de porc ou de bœuf qu'avec des peintures alkydes. Les pinceaux tout usage sont constitués d'un mélange contenant des poils en polyester, en nylon et parfois des soies animales. Achetez un pinceau à murs, droit, de 3 po ; un pinceau à moulures, droit, de 2 po ; et un pinceau à encadrements, en biseau.

Comment choisir un pinceau

Extrémité biseautée

Soies effilées

Séparateurs

Virole renforcée

Manche en bois dur

Le pinceau de qualité (à gauche) possède un manche profilé, en bois dur, muni d'une virole renforcée en métal non corrodable, dont les soies sont tenues écartées par plusieurs séparateurs. Ses soies sont effilées (fleurées), et son extrémité biseautée permet de peindre des contours précis. Le pinceau bon marché (à droite) possède une extrémité assez grossière, des soies non effilées et un séparateur en carton qui se ramollit souvent lorsqu'il est humide.

Le pinceau droit de 3 po (en haut) convient bien pour interrompre le trait de peinture au plafond et dans les coins. Pour peindre les boiseries, on se servira plutôt d'un pinceau à moulures, droit, de 2 po (au milieu). Pour peindre dans les coins, choisissez un pinceau à extrémité biseautée. Le pinceau à encadrements, en biseau (en bas), facilite la peinture dans les coins des montants de fenêtre.

Rouleaux et accessoires

Un bon rouleau à peindre est un outil abordable, qui vous fait gagner du temps et peut durer des années. Choisissez un rouleau standard de 9 po, avec armature en fil et coussinets en nylon. Il doit être bien équilibré et son manche doit être moulé pour faciliter la prise. De plus, l'extrémité de son manche doit être filetée pour que vous puissiez y visser une rallonge lorsque vous devez peindre des plafonds ou des murs élevés.

Les rouleaux ont différentes longueurs de poils, mais les poils de ³/₈ po conviennent à la plupart des travaux. Choisissez des rouleaux synthétiques d'un prix moyen, vous pourrez les utiliser maintes fois avant de devoir les jeter. Les rouleaux bon marché peuvent laisser des fibres sur la surface peinte et ils ne peuvent être ni nettoyés ni réutilisés. Rincez les rouleaux dans un solvant pour éviter qu'ils ne peluchent.

Lorsque vous utilisez des peintures alkydes, servez-vous de rouleaux plus chers, en laine d'agneau. Les rouleaux en laine mohair conviennent bien à l'application des peintures alkydes brillantes, pour lesquelles le fini de surface est particulièrement important.

Choisissez le rouleau en fonction de la surface à peindre. Utilisez un rouleau à poils de ¹/₄ po (en haut) pour les surfaces très lisses. Un rouleau à poils de ³/₈ po (au milieu) permettra de masquer les petits défauts que présentent la plupart des murs et des plafonds, et un rouleau à poils de 1 po (en bas) permettra de couvrir des surfaces rugueuses telles que les blocs de béton ou les murs en stuc.

Les rouleaux à poils synthétiques (à gauche) conviennent à tous les types de peintures, mais surtout aux peintures au latex. Les rouleaux à poils en laine d'agneau ou en laine mohair (à droite) donnent des finis uniformes avec les peintures alkydes. Choisissez des rouleaux de bonne qualité, ils ont moins tendance à pelucher.

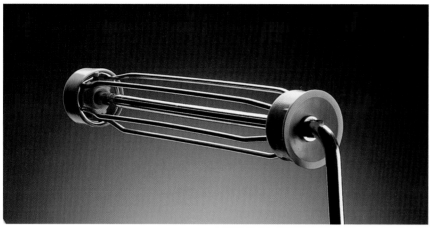

Choisissez un rouleau robuste, à cage métallique, qui tourne librement et en douceur sur des coussinets en nylon, et dont le manche est fileté pour qu'on puise y visser une rallonge.

Achetez un bac à peinture muni de pattes, qui reposera fermement sur la tablette d'un escabeau. Le bac à peinture de bonne qualité résiste à la flexion lorsqu'on essaie de le tordre. Assurez-vous qu'il possède une rampe rainurée sur laquelle le rouleau peut rouler facilement.

Un récipient à peinture de cinq gallons et un treillis à peinture vous permettront de peindre plus rapidement les grandes surfaces. Chargez le rouleau de peinture directement dans le seau, en utilisant un manche-rallonge. N'essayez pas de placer le seau à peinture en équilibre sur l'échelon d'une échelle.

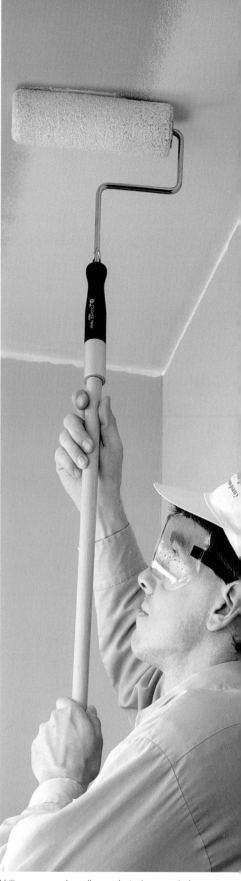

Utilisez un manche-rallonge de 4 pi pour peindre sans effort les plafonds et les murs sans devoir utiliser un escabeau.

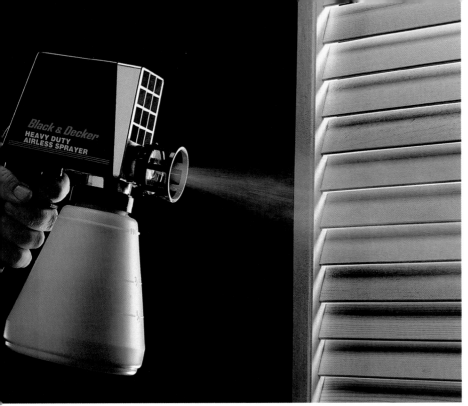

Outils de peinture spéciaux

Le pistolet à dépression est utile pour peindre les grandes surfaces ou les surfaces irrégulières comme les portes des placards à persiennes. Tous les pistolets occasionnent des éclaboussures lors de la pulvérisation et il faut donc porter l'équipement de protection adéquat et masquer toutes les surfaces qui risquent d'être salies. Peignez à l'extérieur ou au sous-sol les pièces que vous pouvez déplacer. Si vous diluez la peinture avant de la pulvériser, vous utiliserez plus facilement l'outil et obtiendrez un revêtement plus uniforme.

*L*es surfaces qui présentent des angles et des contours inhabituels sont souvent difficiles à peindre avec des rouleaux ou des pinceaux standard. Il existe des outils spéciaux qui permettent parfois de résoudre ce genre de difficulté. Les pinceaux jetables en mousse, par exemple, sont excellents lorsqu'il faut appliquer une couche uniforme de vernis sur une boiserie lisse, et le gant à peindre simplifie la tâche lorsqu'il faut peindre des objets à surface tarabiscotée.

Des rouleaux spéciaux, disponibles dans une variété de textures, fines ou plus grossières, permettent d'obtenir les surfaces texturées désirées.

Un outil pliable peut épouser la forme de surfaces inhabituelles, comme les ailettes des radiateurs en fonte ou les volets de fenêtres.

Utilisez un gant à peindre pour vous simplifier la tâche lorsque vous peignez des tuyaux et des objets à surface tarabiscotée, comme les pièces en fer forgé.

Il existe des tampons à peinture et des rouleaux spéciaux, de formes et de tailles diverses qui peuvent répondre à différents besoins.

La peinture par pulvérisation en aérosol accélère le travail lorsqu'on a affaire à des objets de petite dimension aux formes compliquées, comme les registres de chauffage.

Attaché à une perceuse à commande mécanique, le mélangeur permet de brasser rapidement et facilement les peintures. Utilisez une perceuse à vitesse variable, réglée à la petite vitesse, pour éviter la formation de bulles d'air dans la peinture.

En mélangeant les pots de peinture dans un grand seau, on élimine les petites variations de couleur qui peuvent exister d'un pot à l'autre. Mélangez soigneusement la peinture au moyen d'un bâton ou d'un mélangeur fixé sur une perceuse à commande mécanique. Pour empêcher l'accumulation de peinture dans la gorge circulaire du couvercle des pots, percez quelques petits trous dans la gorge pour que la peinture s'écoule dans le pot.

Principales méthodes de peinture

Pour réaliser un travail de qualité professionnelle, étendez la peinture uniformément sur la surface, en l'empêchant de couler, de s'égoutter ou de recouvrir d'autres endroits. Un surplus de peinture risque de couler sur la surface et de dégoutter sur les boiseries et les planchers. Par contre, si vous étendez exagérément la peinture, vous laisserez des marques de raccords, et le revêtement sera irrégulier.

Commencez chaque section en délimitant les bords, les coins et les moulures au moyen d'un pinceau. Pour peindre des surfaces plates à l'aide d'un pinceau ou d'un rouleau, il faut suivre un processus en trois étapes : l'application de la peinture sur la surface, la distribution uniforme de la peinture et l'égalisation qui donnera un fini sans raccords apparents.

Utilisation du pinceau

1 Trempez le pinceau dans la peinture, jusqu'au tiers de la longueur des poils. Tapotez les poils contre le bord du pot (le tremper davantage surchargerait les poils). Ne frottez pas le pinceau contre le bord, cela use les poils.

2 Délimitez les bords de la surface à peindre en utilisant le côté étroit du pinceau et en le pressant juste assez pour en courber les poils. Ayez l'œil sur le bord et peignez en effectuant de longs mouvements de va-et-vient, lentement. Peignez toujours d'un endroit sec vers un endroit fraîchement peint, pour éviter les marques de raccords.

3 Peignez les coins des murs en utilisant le côté épais du pinceau. Peignez les endroits dégagés au pinceau ou au rouleau avant que la peinture déposée au pinceau dans les coins ne sèche.

4 Pour peindre au pinceau les grandes surfaces, donnez 2 ou 3 coups de pinceau en diagonale. Tenez le pinceau à 45°, en appuyant juste assez pour courber les poils, et répartissez ensuite la peinture en donnant des coups de pinceau horizontaux.

5 Égalisez la surface en tirant le pinceau verticalement, de haut en bas. Donnez des coups de pinceau légers et terminez-les chaque fois en soulevant le pinceau de la surface. Cette méthode est tout indiquée dans le cas de la peinture-émail alkyde, qui sèche lentement.

Utilisation du rouleau

Peignez les surfaces par petites sections, en passant des surfaces sèches aux surfaces humides, pour éviter les marques de rouleau. Si le travail dure plus d'un jour, enveloppez soigneusement le rouleau dans une feuille de plastique ou placez-le dans un seau d'eau jusqu'au lendemain pour éviter que la peinture ne sèche.

Pour débarrasser le rouleau de ses peluches et ouvrir les fibres, trempez-le dans l'eau, si vous appliquez une peinture au latex, et dans une essence minérale, si vous appliquez une peinture alkyde. Pressez le rouleau pour en extraire le liquide excédentaire et

Comment peindre à l'aide d'un rouleau

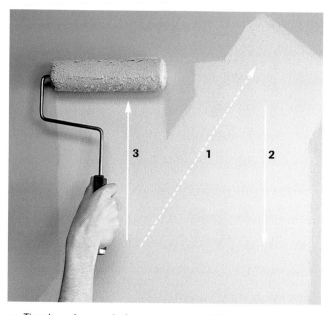

1 Donnez un coup de rouleau en diagonale (1) sur la surface à peindre, sur une longueur approximative de 4 pi. Puis, donnez le premier coup de bas en haut pour éviter que la peinture ne dégoutte du rouleau. Le mouvement doit être lent pour éviter les éclaboussures.

2 Tirez le rouleau verticalement vers le bas (2), du haut de la diagonale. Déplacez ensuite le rouleau vers le bas de la diagonale et remontez-le ensuite verticalement (3) pour achever de le décharger.

remplissez le réservoir du bac à peinture. Trempez complètement le rouleau dans le réservoir pour le charger de peinture. Soulevez-le et recouvrez uniformément les poils de peinture en effectuant un mouvement de va-et-vient sur la partie nervurée du bac à peinture. La peinture doit imbiber le rouleau, mais elle ne doit pas en dégoutter.

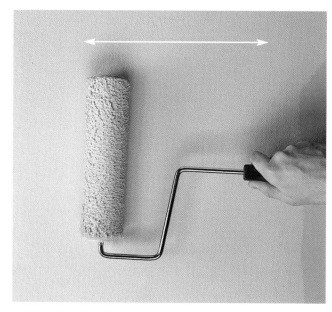

3 Répartissez la peinture en effectuant des mouvements de va-et-vient horizontaux avec le rouleau.

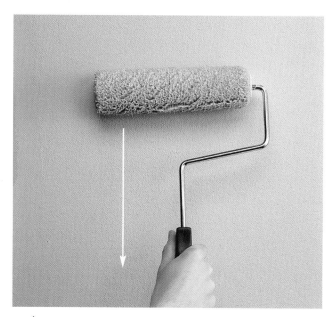

4 Égalisez la surface peinte en tirant légèrement le rouleau verticalement, de haut en bas. À la fin de chaque course, soulevez le rouleau et commencez le coup de rouleau suivant parallèlement en haut de la surface à peindre.

Techniques de peinture des moulures

*L*orsque vous peignez une pièce entière, commencez par les moulures. Peignez en premier lieu les parties intérieures des moulures et progressez vers les murs. Sur les fenêtres par exemple, peignez les bords en bois qui sont en contact avec le verre avant de peindre le reste de la moulure. Il faut peindre les portes rapidement, afin que toutes les surfaces soient recouvertes avant que la peinture ne commence à sécher. Pour éviter les marques de raccords, peignez toujours en progressant des surfaces sèches vers les surfaces non sèches. Commencez par peindre le dessus des plinthes et progressez vers le plancher. Pour éviter les taches, protégez le tapis ou le plancher en bois à l'aide d'un protège-plancher en plastique ou d'un couteau à large lame.

Les peintures laquées alkydes et au latex demandent parfois deux couches. Sablez légèrement la surface entre les différentes couches et essuyez la poussière avec un chiffon collant ; ainsi la deuxième couche adhérera bien à la première.

Peinture des fenêtres

1 Pour peindre les fenêtres à guillotine, enlevez si possible la guillotine. On enlève les nouvelles fenêtres, montées sur ressorts, en appuyant simplement sur le châssis (voir la flèche).

2 Forez des trous et plantez deux clous de 2 po dans les montants d'un escabeau. Placez la fenêtre comme sur un chevalet pour la peindre plus facilement, ou posez-la à plat sur un établi ou sur des tréteaux. Ne peignez ni les côtés ni la face inférieure des fenêtres à guillotine.

3 Commencez par peindre les bords en bois qui sont en contact avec le verre, avec une brosse de pouce biseautée. Utilisez le côté mince du pinceau et débordez de $^1/_{16}$ po sur le verre, afin d'assurer l'étanchéité du joint.

4 Enlevez la peinture excédentaire en nettoyant le verre avec la lame d'un couteau à mastiquer enveloppée dans un linge propre. Renouvelez souvent l'enveloppe pour toujours essuyer le verre avec un linge propre.

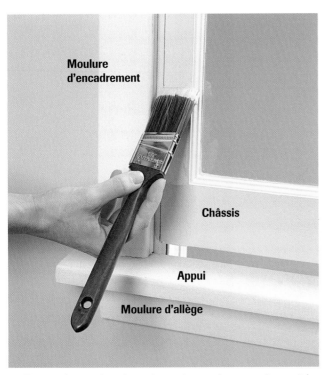

Moulure d'encadrement

Châssis

Appui

Moulure d'allège

5 Peignez les parties plates des cadres, puis successivement les moulures de l'encadrement, l'appui et la moulure d'allège. Donnez des coups de pinceau lents et évitez d'introduire de la peinture entre la guillotine et le cadre.

6 Si vous peignez les fenêtres en place, levez et baissez-les plusieurs fois pendant qu'elles sèchent, cela les empêchera de coller. Servez-vous d'un couteau à mastiquer pour ne pas toucher les surfaces peintes.

Peinture des portes

1 Enlevez la porte en délogeant la broche de charnière inférieure à l'aide d'un tournevis et d'un marteau. Demandez à quelqu'un de tenir la porte en place pendant que vous délogez les broches de la charnière du milieu et de la charnière supérieure.

2 Placez la porte sur des tréteaux pour la peindre. Lorsque vous peignez des portes à panneaux, commencez par les panneaux en retrait, passez ensuite aux traverses et terminez par les montants.

3 Laissez sécher la peinture. S'il s'avère nécessaire de donner une deuxième couche, sablez légèrement la porte et essuyez-la avec un chiffon collant pour enlever tous les résidus avant de la peindre.

4 Scellez la surface des tranches non peintes de la porte avec de l'apprêt pour bois, afin de préserver le bois contre l'humidité qui peut provoquer son gauchissement et son gonflement.

Conseils pour la peinture des moulures

Protégez le mur ou le plancher adjacent à l'aide d'un couteau à grosse lame ou d'un écran en plastique.

Essuyez la peinture du couteau à large lame ou de l'écran chaque fois que vous le déplacez.

Peignez les deux côtés des portes des armoires, cela assure une étanchéité uniforme et évite le gauchissement.

Peignez les surfaces compliquées avec un pinceau à poils raides, comme ce pochon. Donnez de petits coups de pinceau circulaires pour pénétrer dans les creux.

Techniques de peinture pour les plafonds et les murs

Pour obtenir un fini impeccable, appliquez la peinture par section. Délimitez les bords à l'aide d'un pinceau, puis peignez immédiatement la section délimitée au rouleau avant de passer à la section suivante. Si les bords peints au pinceau sèchent avant que vous ne peigniez la section au rouleau, les raccords seront apparents sur le mur fini. Peignez si possible à la lumière naturelle, vous détecterez plus facilement les endroits que vous avez oubliés.

Choisissez de la peinture et des outils de qualité et chargez complètement de peinture le pinceau et le rouleau pour éviter les raccords et couvrir complètement la section. Déplacez lentement le rouleau pour éviter les éclaboussures.

Conseils pour la peinture des plafonds et des murs

Peignez la surface en dirigeant le rouleau vers un bord humide. Délimitez le bord d'une petite section à l'aide d'un pinceau, juste avant d'utiliser le rouleau, et passez ensuite à la section suivante. Si vous êtes deux, l'un peut délimiter les bords à l'aide du pinceau pendant que l'autre passe le rouleau sur les grandes surfaces.

Réduisez au minimum les marques de pinceau. Faites glisser légèrement le rouleau hors de sa cage lorsque vous l'utilisez près des coins ou le long de l'arête d'un plafond. Lorsqu'elles sont sèches, les parties peintes au pinceau donnent un fini différent de celui des parties peintes au rouleau.

Peinture des plafonds

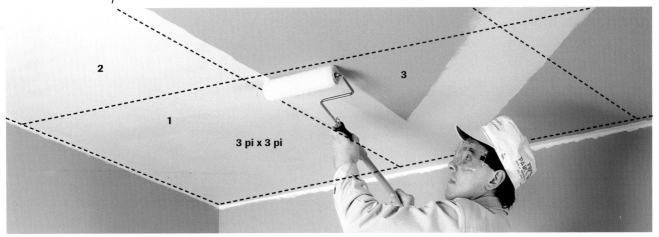

Peignez les plafonds avec un rouleau dont le manche est muni d'une rallonge. Portez des lunettes de protection. Commencez par le coin le plus éloigné de la porte d'entrée. Peignez le plafond dans sa petite dimension, par sections de 3 pi x 3 pi, en délimitant les bords avant de peindre la surface au rouleau. Appliquez la peinture en diagonale et répartissez-la ensuite uniformément en imprimant au rouleau un mouvement de va-et-vient. Donnez des coups de rouleau de finition dans chaque section en dirigeant le rouleau vers le mur d'entrée et en le soulevant à la fin de sa course.

Peinture des murs

Peignez les murs en procédant par sections de 2 pi x 4 pi. Commencez dans le coin supérieur, en délimitant les intersections du plafond et des murs à l'aide d'un pinceau. Peignez ensuite la section au rouleau, en commençant par donner un coup de rouleau en diagonale, en montant, afin d'éviter les éclaboussures. Répartissez uniformément la peinture en l'étendant horizontalement, et terminez par des coups de rouleaux verticaux, de haut en bas. Délimitez ensuite la section située immédiatement en dessous. Poursuivez avec les sections adjacentes, en délimitant les bords au pinceau et en appliquant la peinture au rouleau depuis la section supérieure. Terminez toujours par des coups de rouleaux dirigés vers le plancher.

Peinture texturée

Les peintures texturées offrent une solution de rechange aux peintures planes ou aux revêtements muraux. La gamme des effets réalisables n'a pour limites que votre imagination. Il existe deux sortes de peintures texturées : les peintures au latex, prémélangées, ou la poudre sèche. Les peintures texturées au latex, prémélangées, sont tout indiquées pour les pointillés de fond légers, mais les peintures texturées en poudre conviennent mieux à l'imitation d'un fini en pisé ou en stuc. Les peintures texturées en poudre sont vendues en sacs de 25 lb, et il faut mélanger la poudre avec de l'eau, à l'aide d'un agitateur monté sur une perceuse mécanique.

Exercez-vous à créer des textures sur du carton jusqu'à ce que vous obteniez le résultat désiré. N'oubliez pas que la profondeur de la texture dépend de la viscosité de la peinture, de la quantité appliquée sur la surface et du type d'outil que vous utilisez pour créer la texture.

Comment appliquer une peinture texturée

Créez un motif en tourbillon à l'aide d'un petit balai. Appliquez la peinture texturée au moyen d'un rouleau et, à l'aide d'un petit balai, créez le motif désiré.

Utilisez un rouleau à longs poils pour créer un effet de pointillé de fond. Vous pouvez obtenir différents effets selon la pression exercée sur le rouleau et la quantité de peinture appliquée sur la surface.

Appliquez la peinture texturée sur la surface à couvrir et tassez-la en formant des crêtes pour créer un motif rappelant le pisé.

Vous pouvez tamponner ou frotter une éponge sur la surface, ou lui imprimer un mouvement circulaire pour créer une variété infinie de motifs dans la peinture texturée, ou encore vous pouvez laisser sécher la première couche et appliquer ensuite une couche d'une autre couleur pour créer un motif en stuc de deux tons.

Vous créerez un motif en patte d'oie en appliquant la peinture texturée avec un rouleau, en l'égalisant avec un pinceau et en tamponnant la surface avec le côté plat du pinceau.

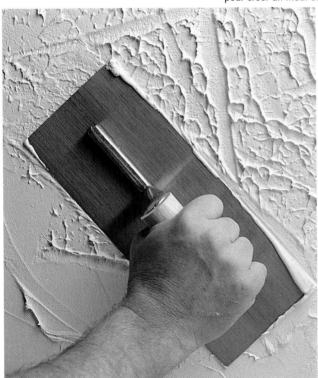

Pressez le côté plat d'une truelle contre la surface de la peinture texturée et retirez la truelle pour créer un effet d'estampille.

Passez une truelle sur la surface de la peinture texturée partiellement sèche afin d'aplanir les aspérités et d'imiter le motif du brocart. Entre les passes, nettoyez la truelle à l'aide d'un pinceau ou d'une éponge humide.

os travaux de peinture terminés, vous pouvez décider de jeter les rouleaux, mais le bac à peinture, les manches des rouleaux et les pinceaux peuvent être nettoyés et conservés pour une utilisation ultérieure. Vous pouvez essuyer les gouttes de peinture occasionnelles si elles sont encore humides. Vous pouvez aussi vous servir d'un couteau à mastiquer ou d'une lame de rasoir pour enlever les gouttes de peinture séchée sur le bois dur ou sur le verre. On enlève les éclaboussures de peinture récalcitrantes de la plupart des surfaces avec un nettoyant.

Servez-vous d'un outil à essorer les rouleaux pour enlever le reste de peinture et le solvant. Lavez le rouleau ou le pinceau avec du solvant. Attachez le rouleau à l'outil et introduisez l'outil dans une boîte en carton ou un seau de cinq gallons pour recueillir le liquide et éviter les éclaboussures. Actionnez la pompe pour forcer le liquide hors du rouleau.

Les produits de nettoyage comprennent (à partir de la gauche) : un nettoyant, un outil à essorer les rouleaux, et un outil à nettoyer les pinceaux et les rouleaux.

Conseils sur le nettoyage

Peignez les poils à l'aide du côté dentelé d'un outil à nettoyer les rouleaux : cela alignera les poils qui sécheront correctement.

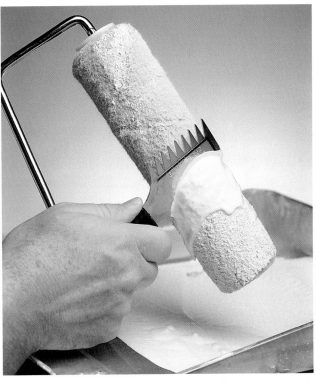

Grattez la peinture du rouleau au moyen de la partie arrondie d'un outil à nettoyer. Enlevez le plus de peinture possible avant de nettoyer les outils avec le solvant.

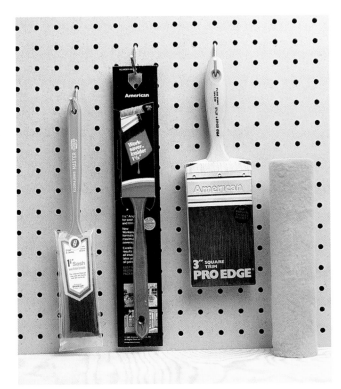

Rangez les pinceaux dans leur emballage d'origine, ou enveloppez les soies dans du papier d'emballage brun. Rangez les rouleaux nettoyés verticalement, pour éviter que les poils ne s'aplatissent.

Enlevez les éclaboussures séchées à l'aide d'un nettoyant. Avant d'utiliser un nettoyant, essayez-le sur une surface dissimulée pour vous assurer qu'il s'agit d'un produit grand teint.

Techniques de revêtement mural

*L*e revêtement mural peut constituer l'élément le plus important de la décoration, car il confère du style à la pièce et permet d'harmoniser les couleurs. Nombreux sont ceux qui raillent la difficulté d'appliquer un revêtement mural, alors qu'en disposant des outils, des matériaux et des techniques appropriés, deux personnes peuvent aussi bien tapisser une pièce que ne le font des gens de métier.

Dans cette section, vous parcourrez tout le processus du revêtement mural, depuis la sélection du type de produit le plus approprié jusqu'au revêtement proprement dit des murs et des plafonds. Des tableaux faciles à consulter vous simplifieront la tâche lorsqu'il s'agira de prendre des mesures et de déterminer les quantités des produits dont vous avez besoin.

Les pages suivantes contiennent de nombreux conseils professionnels qui maximiseront votre travail et qui vous aideront à ne pas commettre d'erreurs. Par exemple, vous apprendrez comment créer un plan de revêtement et comment marquer les murs avant de commencer à tapisser. Le plan de revêtement facilite la tâche lorsqu'il faut faire coïncider les motifs, s'assurer que les joints aboutissent dans les coins, ou placer des pièces dans des endroits dissimulés.

Lorsque vous serez prêt à poser le revêtement, les instructions vous montreront, étape par étape, comment préparer les bandes de revêtement et en tapisser les murs ou les plafonds. Vous découvrirez également comment tapisser dans les coins, autour des portes, des fenêtres, des tuyaux, des radiateurs, des accessoires et même comment tapisser les arcades. On vous expliquera également comment revêtir les plaques d'interrupteurs et les réceptacles, et comment garnir les murs de bordures et de panneaux.

Sélection des revêtements muraux

*R*ares sont les « papiers peints » modernes qui sont réellement fabriqués en papier. Les revêtements muraux actuels sont en vinyle, en papier ou en tissu revêtus de vinyle, en textile, en fibre naturelle, ou en feuille métallique ou mylar. Les revêtements en vinyle ou recouverts de vinyle sont les plus faciles à installer, à nettoyer et à enlever. D'autres types de revêtements peuvent donner à une pièce une apparence unique, mais il faut parfois les manipuler avec soin. Normalement, vous choisirez un revêtement en fonction de la pièce, d'une part, et de la confiance que vous avez en vos talents de tapissier, d'autre part.

Types de revêtements muraux

Les revêtements en **vinyle** sont constitués d'une pellicule souple continue, souvent appliquée sur un support en tissu ou en papier. Certains vinyles rendent parfaitement l'effet des fibres naturelles ou des revêtements muraux en textile. Les revêtements en vinyle encollés constituent un bon choix, car ils sont faciles à appliquer, à nettoyer et à enlever.

Les **feuilles métalliques** — ou mylars — sont recouvertes d'une mince pellicule métallique souple. Ces revêtements réfléchissent la lumière et éclairent une pièce, mais il faut les manipuler avec soin. Et comme ils révèlent également tous les défauts des murs, il faut soigner tout particulièrement la préparation de ceux-ci.

Les **tissus en fibre naturelle** sont des revêtements importés, fabriqués avec des fibres végétales. Ils réfléchissent peu la lumière et adoucissent souvent l'apparence d'une pièce. Ils constituent un bon choix lorsque les murs sont irréguliers ou pleins de défauts. Installez-les avec un adhésif transparent et n'utilisez jamais d'eau pour les rincer.

Les revêtements en **tissu** sont faits de fibres textiles tissées. Ils sont faciles à installer, car ils ne présentent pas de motifs à faire coïncider, mais ils sont parfois difficiles à nettoyer.

Les revêtements **gaufrés** présentent un motif en relief, destiné à rendre la pièce plus élégante, plus chic. N'utilisez jamais de rouleau à joints sur ces revêtements, car ils s'abîment facilement.

Conseils sur le choix d'un revêtement mural

Facilité d'enlèvement : les revêtements détachables (à gauche) s'enlèvent facilement à la main, et ne laissent aucun résidu, sinon parfois, une mince pellicule. Les revêtements pelables (à droite) s'enlèvent aussi, mais ils laissent parfois une couche de papier sur le mur, qu'il est toutefois facile d'enlever avec de l'eau et du savon. Vérifiez l'endos de l'échantillon ou l'emballage du revêtement pour savoir s'il est détachable ou pelable. Choisissez un produit détachable si vous désirez vous faciliter un travail de décoration ultérieur.

Lavabilité : on peut nettoyer les revêtements muraux lavables avec un savon doux, de l'eau et une éponge. Les revêtements lavables à la brosse sont assez résistants pour que l'on puisse les frotter avec une brosse douce. Choisissez des revêtements de ce type pour tapisser les endroits les plus fréquentés.

Application : les revêtements muraux encollés (à gauche) sont revêtus à l'usine d'un adhésif à base d'eau qui s'active lorsqu'on trempe ceux-ci dans un bac d'eau. Les revêtements non encollés (à droite) doivent recevoir une couche d'adhésif avant leur installation. Les produits encollés sont non seulement plus faciles à préparer, mais ils sont aussi durables que les revêtements non encollés.

Lot de teinture des rouleaux : notez les numéros des lots de teinture des rouleaux. Si vous avez besoin de rouleaux supplémentaires, vous pourrez ainsi commander des rouleaux du même lot de teinture et éviter les légères différences de couleur qui peuvent exister entre les lots.

Emballage : les revêtements muraux se vendent en rouleaux continus simples, doubles, ou triples.

Motifs : les grands motifs entraînent toujours plus de pertes que les petits. Un revêtement à grands motifs risque de coûter plus cher qu'un revêtement dont le motif se répète plus souvent. Il peut aussi être plus difficile d'éviter les interruptions de motifs le long des plinthes et dans les coins lorsqu'on installe un revêtement de ce type.

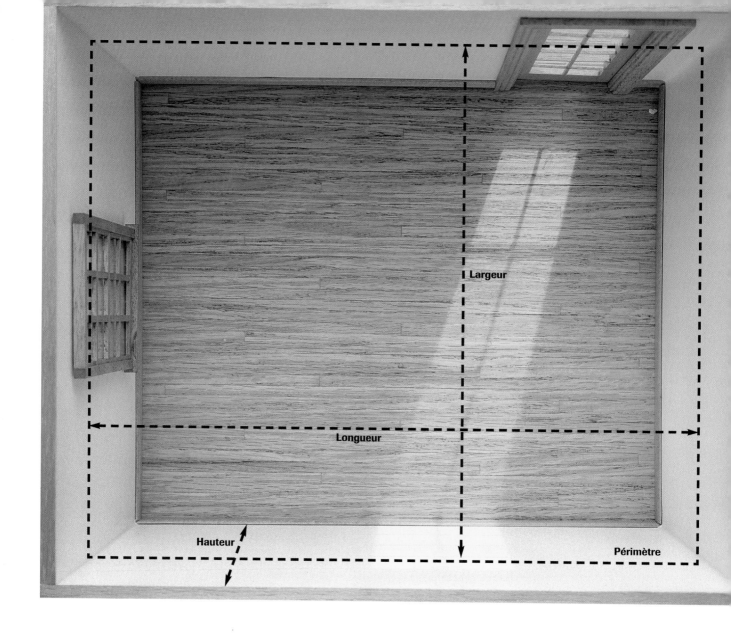

The image shows labels: **Largeur**, **Longueur**, **Hauteur**, **Périmètre**

Méthodes de mesure et d'estimation

*E*n prenant quelques mesures de la pièce, et grâce à l'information figurant sur l'emballage du revêtement mural, vous pouvez évaluer la quantité de revêtement dont vous avez besoin. En suivant la procédure décrite dans ces deux pages, vous pourrez calculer le nombre de pieds carrés de vos murs et de vos plafonds, et déterminer la surface de recouvrement d'un rouleau de revêtement mural.

À cause des pertes, le recouvrement réel du revêtement sera inférieur d'au moins 15 p. 100 à celui qui est indiqué sur l'emballage. Le pourcentage de pertes peut être plus élevé si l'espace nécessaire à la répétition du motif est plus important. Cette mesure de la « répétition du motif » est précisée sur l'emballage. Vous pouvez compenser dans les mesures ce facteur de pertes supplémentaires en ajoutant, à la hauteur mesurée de la pièce, la mesure de la répétition du motif.

Mesure de la pièce :

Murs : mesurez la *longueur* du mur, en arrondissant au ½ pi suivant. (Additionnez les longueurs de tous les murs pour obtenir le périmètre de la pièce si vous comptez la tapisser complètement.) Incluez les ouvertures des portes et des fenêtres dans les mesures des murs. Mesurer la *hauteur* des surfaces à recouvrir, en arrondissant au ½ pi suivant. N'incluez pas dans la mesure la hauteur des plinthes ni celle des moulures couronnées. Plafonds : mesurez la longueur et la *largeur* du plafond, en arrondissant au ½ pi suivant.

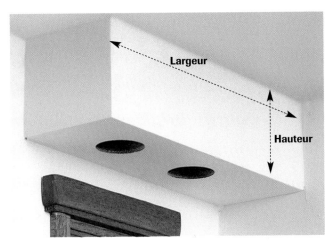

Soffites : si vous tapissez les côtés d'un soffite, ajoutez la largeur et la hauteur de chaque côté aux mesures du mur.

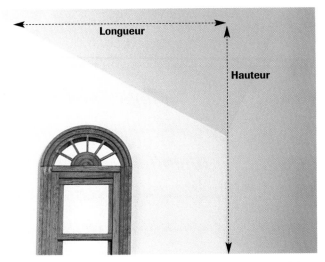

Murs trapézoïdaux : mesurez-les comme s'ils étaient rectangulaires : longueur x largeur.

Les emballages des revêtements muraux ou les livres de motifs donnent la surface de recouvrement par rouleau, en pieds carrés, et la mesure de la répétition du motif.

Comment calculer le recouvrement réel par rouleau

1) Recouvrement total par rouleau (pieds carrés)	
2) Correction pour le facteur de perte	x .85
3) **Recouvrement réel par rouleau** (pieds carrés)	=

Comment calculer le nombre de rouleaux nécessaires pour un plafond

1) Longueur de la pièce (pieds)	
2) Mesure de la répétition du motif du revêtement mural (pieds)	+
3) Longueur corrigée (pieds)	=
4) Largeur de la pièce (pieds)	X
5) Surface du plafond (pieds carrés)	=
6) Recouvrement réel par rouleau (calculé ci-dessus, en pieds carrés)	÷
7) **Nombre de rouleaux nécessaires pour le plafond**	=

Comment calculer le nombre de rouleaux nécessaires pour les murs

1) Hauteur des murs (pieds)	
2) Mesure de la répétition du motif du revêtement mural (pieds)	+
3) Hauteur corrigée (pieds)	=
4) Longueur des murs ; ou périmètre de la pièce (pieds)	X
5) Surface des murs (pieds carrés)	=
6) Recouvrement réel par rouleau (calculé ci-dessus, en pieds carrés)	÷
7) Nombre de rouleaux	=
8) Ajouter un rouleau par arcade ou par fenêtre renfoncée	+
9) **Nombre de rouleaux nécessaires pour les murs**	=

Seau

Éponge naturelle

Bac à eau

Règle plate à bulle

Bac à peinture
et rouleau

Brosses à coller

Outil à lisser

Couteau à plaques

Rouleau à joints

Couteau rasoir

Ciseaux de
tapissier

Outils

De nombreux outils de tapisserie sont des outils ordinaires que vous connaissez déjà. Ayez à portée de la main des crayons n° 2 et un taille-crayon, vous en aurez besoin lorsque vous préparerez et découperez le revêtement mural. N'utilisez jamais de marqueur à encre ou de stylo à bille, car l'encre pourrait traverser le revêtement humide.

Utilisez une règle plate à bulle ou un niveau à bulle comme fil à plomb et découpez les revêtements suivant des lignes droites. N'utilisez pas de cordeau traceur : la craie risque de tacher le revêtement ou de suinter à travers les joints. Découpez les revêtements à l'aide d'un couteau rasoir à lames détachables. Garder l'eau de lavage dans des seaux non corrodables et utilisez une éponge naturelle ou en plastique, de bonne qualité, pour ne pas abîmer le revêtement mural.

On applique normalement les adhésifs pour revêtements muraux au moyen d'un rouleau à peinture ordinaire, mais lorsque vous tapisserez vous aurez besoin, en plus, d'un outil à lisser pour aplatir les bandes de revêtement et d'un rouleau spécial pour terminer les joints entre les bandes. Demandez à votre marchand de vous indiquer les outils dont vous avez besoin pour tapisser votre intérieur.

Les brosses à coller peuvent avoir des poils de différentes longueurs. Utilisez une brosse à poils courts pour lisser les revêtements muraux en vinyle et une brosse douce, à longs poils, pour les revêtements délicats comme les tissus en fibre naturelle.

Utilisez un couteau rasoir à lames détachables pour découper les revêtements muraux près du plafond et des plinthes, dans les coins et autour des portes et des fenêtres. Renouvelez souvent la lame pour ne pas accrocher ou déchirer le revêtement mural.

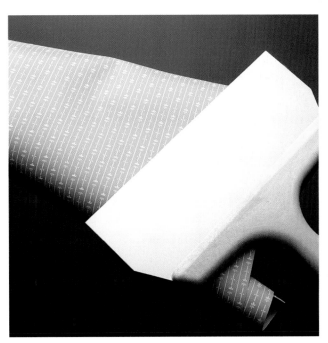

Servez-vous d'un large couteau à grosse lame pour tenir en place le revêtement mural pendant que vous découpez les parties qui chevauchent, dans les coins et contre les cadres des portes ou des fenêtres.

(Suite à la page suivante)

Une règle à bulle ou un niveau à bulle permettent de tracer des lignes droites verticales et de découper le revêtement mural suivant ces lignes droites. Utilisez un niveau plutôt qu'un cordeau traceur dont la craie risque de suinter dans les joints du revêtement.

Utilisez des ciseaux de tapissier pour découper le revêtement mural à l'endroit où les revêtements du plafond et du mur se rejoignent. Un couteau rasoir risque de transpercer la bande de revêtement sous-jacente du plafond.

La table de tapissier offre une surface de travail plate. Les magasins de revêtements muraux prêtent ou louent ce genre de table. Vous pouvez aussi monter votre propre table en plaçant une feuille de contreplaqué sur des tréteaux.

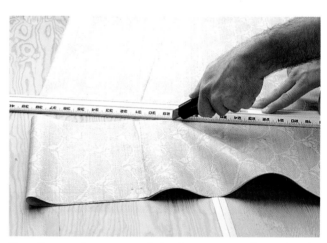

Pour découper des morceaux de bandes que vous utiliserez dans les coins, tenez fermement une règle contre une bande de revêtement mural repliée et effectuez le travail à l'aide d'un couteau rasoir. Tenez la lame du couteau droite pendant le découpage.

Remplissez d'eau un bac approprié qui servira à humidifier les bandes de revêtement mural.

Utilisez une éponge naturelle ou une éponge synthétique de bonne qualité et un seau pour rincer les bandes de revêtement mural.

À l'aide d'un rouleau ou d'une brosse à pâte, enduisez d'adhésif l'envers des bandes de revêtement non encollé.

Matériel

Avant de tapisser les murs, il faut sceller la surface et la recouvrir d'un apprêt qui empêchera l'adhésif de pénétrer dans le mur. Les apprêts d'impression que l'on trouve aujourd'hui dans le commerce remplissent ces deux fonctions et ne nécessitent donc qu'une application.

Si votre revêtement n'est pas encollé, vous aurez peut-être besoin de plusieurs types d'adhésifs. Pour la plupart des revêtements muraux en vinyle ou à support en vinyle, choisissez un adhésif prémélangé pour vinyle qui contient un inhibiteur de moisissure. Les revêtements en vinyle nécessitent également un adhésif spécial « vinyle sur vinyle » pour les endroits où les bandes de revêtement chevauchent, comme dans les coins des murs ou sous les arcades.

Si vous installez des revêtements spéciaux, vous aurez probablement besoin d'adhésifs spéciaux. Les tissus de fibre naturelle, par exemple, nécessitent un adhésif transparent, séchant rapidement, qui ne traverse pas les fibres en les tachant. Examinez l'étiquette du revêtement mural et demandez à votre marchand de vous indiquer l'adhésif qui convient à votre application.

Les apprêts d'impression au latex scellent et recouvrent les murs et ne demandent qu'une application. On les trouve en poudre ou prémélangés. On utilise de l'adhésif résistant pour vinyle lorsqu'on tapisse les murs de revêtements en vinyle ou à support en vinyle.

L'adhésif vinyle sur vinyle permet de coller les joints des revêtements en vinyle qui chevauchent. On l'utilise également pour coller les bordures en vinyle sur des revêtements muraux en vinyle.

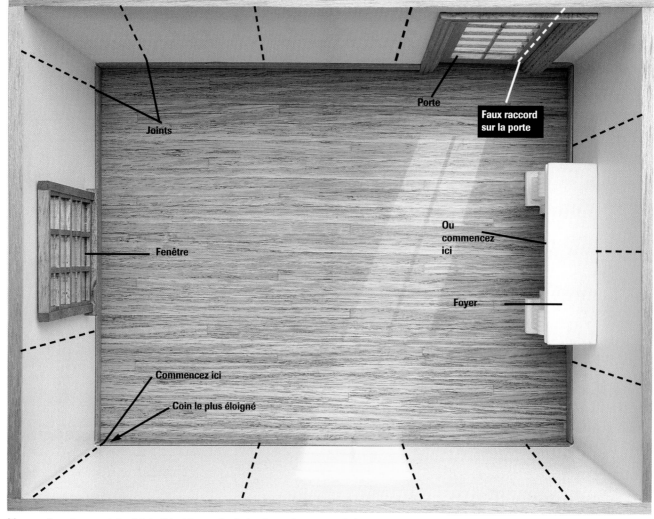

Marquer l'emplacement des joints. Il faut tenter de dissimuler un faux raccord, derrière une porte, par exemple.

Le plan de recouvrement

Conseils sur la planification des joints

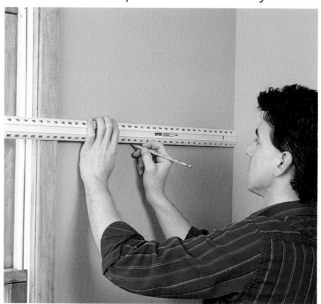

Lors de l'installation d'un revêtement mural à motifs, il y a toujours un joint formé par la rencontre d'une bande complète et d'une bande partielle. D'habitude, le motif forme un faux raccord à cet endroit. Faites en sorte que ce faux raccord se trouve dans un endroit dissimulé, derrière une porte ou au-dessus d'une entrée, par exemple.

Faites un croquis reproduisant les lignes des joints avant de commencer. Évitez de placer des joints à des endroits qui rendront votre tâche plus difficile. Un joint qui tombe près du bord d'une fenêtre ou du foyer complique le travail. Dans les coins, le revêtement doit toujours chevaucher légèrement le mur suivant. Si, sur le croquis, un ou plusieurs joints tombent à des endroits compliqués, déplacez votre ligne verticale de quelques pouces pour corriger la situation.

Prévoyez l'endroit du faux raccord. Si la pièce ne présente aucun point central évident, commencez dans le coin le plus éloigné de l'entrée. Mesurez une distance égale à la largeur du revêtement mural et marquez l'endroit d'un point. Poursuivez l'opération dans les deux directions, en marquant tous les points où tomberont les joints.

Prenez comme point de départ un élément central, comme un foyer ou une grande fenêtre. Centrez la ligne verticale sur ce point et tracez le plan de recouvrement en progressant de part et d'autre de la ligne centrale.

Si nécessaire, modifiez votre plan pour qu'aucun joint ne coïncide avec un coin. Assurez-vous qu'à l'endroit du joint, le revêtement mural chevauche d'au moins ½ po, dans un coin intérieur, et d'au moins 1 po autour d'un coin extérieur.

Modifiez également votre plan si des joints tombent à des endroits compliqués tels que le long des bords des fenêtres ou des portes. Déplacez votre point de départ de manière que les joints soient suffisamment éloignés pour que vous puissiez aisément travailler près de ces obstacles.

Planifiez le recouvrement du plafond de manière que toute interruption de motif longe le côté le moins en vue de la pièce. Comme l'interruption de motif fait toujours partie de la dernière bande posée, commencez par recouvrir le plafond du côté opposé à la porte d'entrée.

Techniques de revêtement mural 127

Enroulez le revêtement mural en veillant à ce que le côté du motif soit à l'intérieur. Vérifiez si la surface ne présente pas de défauts de couleur ou de dessin. Retournez tout rouleau défectueux au fournisseur.

Techniques de manutention des revêtements muraux

Nous vous conseillons de choisir autant que possible des revêtements muraux en vinyle, de qualité et encollés, en raison de leur durabilité et de leur facilité d'installation. Dégagez la pièce en la débarrassant de tous les meubles faciles à enlever et en installant des journaux ou des toiles de peintre près des murs. Pour faciliter la manutention des revêtements muraux, louez une table de tapissier ou montez votre propre table (page 124).

Coupez l'alimentation électrique de la pièce sur le tableau de distribution principal et assurez-vous que tous les interrupteurs et toutes les prises son hors circuit. Enlevez les plaques des interrupteurs et des prises. Couvrez les fentes des prises à l'aide de ruban cache pour empêcher que de l'eau ou de l'adhésif n'y pénètre.

Profitez des meilleures conditions de visibilité et de séchage en effectuant vos travaux pendant la journée. Faites-vous aider autant que possible par une autre personne. Il est

particulièrement utile de se faire aider lorsqu'on tapisse les plafonds.

Lorsque vous installez le revêtement mural, assurez-vous que chaque bande est parfaitement posée avant de passer à la suivante. Vous pouvez ajuster les bandes lorsqu'elles sont sur le mur, mais posez-les soigneusement dès le départ car, en les ajustant, vous risquez dans certains cas d'étirer le revêtement qui peut alors gondoler et se déchirer.

Conseil

Certains revêtements muraux de première qualité sont bordés de chaque côté d'une lisière qui protège le rouleau. Il faut couper ces lisières à l'aide d'un couteau rasoir et d'une règle avant de les installer. Les lisières sont parfois marquées de manière à permettre un découpage précis.

Comment mesurer et découper les bandes des revêtements muraux

1 Tenez la bande de revêtement mural contre le mur. Assurez-vous qu'elle présente un motif complet près de la ligne du plafond et laissez la bande dépasser d'environ 2 po au plafond et le long de la plinthe. Coupez la bande à la bonne longueur au moyen des ciseaux.

2 Posez les bandes suivantes en vous assurant que leurs motifs correspondent avec ceux de la bande précédente et coupez-les en laissant dépasser 2 po en haut et en bas.

Comment manipuler les revêtements encollés

Comment manipuler les revêtements non encollés

1 Remplissez à moitié d'eau tiède un bac à eau. Enroulez sans serrer la bande découpée, motif à l'intérieur. Laissez tremper le rouleau dans l'eau, conformément aux instructions du fabricant, c'est-à-dire normalement durant 1 minute environ.

2 Tenez des deux mains une extrémité de la bande soulevez-la hors de l'eau. Examinez le côté encollé pour vérifier que la bande est uniformément mouillée. Pliez la bande comme indiqué (page 130).

Couchez la bande sur une table de tapissier ou une surface plate, motifs vers le bas. À l'aide d'un rouleau, appliquez uniformément de l'adhésif sur la bande. Essuyez l'adhésif excédentaire de la table avant de préparer la bande suivante.

Comment plier les bandes de revêtements muraux

Pliez le revêtement mural en rabattant les deux extrémités de la bande vers le centre, le côté encollé à l'intérieur. Ne marquez pas les plis. Laissez la bande ainsi pendant 10 minutes. Certains revêtements muraux ne doivent pas être pliés : suivez les instructions du fabricant.

Pliez les bandes des plafonds ou les bordures des revêtements muraux en « accordéon ». Pliez la bande plusieurs fois, côté encollé à l'intérieur, pour en faciliter la manipulation. Laissez la bande pliée pendant 10 minutes.

Comment placer et lisser les revêtements muraux

1 Dépliez la bande et posez-la délicatement, le bord longeant une ligne verticale ou la bande précédente. Utilisez les paumes des mains pour glisser la bande en place. Aplanissez le dessus de la bande à l'aide d'une brosse à coller.

2 En commençant par le haut, lissez le revêtement du centre vers l'extérieur, dans les deux directions. Assurez-vous que la bande ne présente pas de bulles et que les joints sont parfaitement aboutés. Si nécessaire, retirez la bande et replacez-la.

Comment découper les revêtements muraux

1 À l'aide d'un large couteau à plaques de plâtre, maintenez le revêtement mural contre la moulure ou le plafond. Coupez la partie excédentaire au moyen d'un couteau rasoir acéré. Gardez la lame du couteau en place pendant que vous déplacez le couteau à plaques de plâtre.

2 Si le plafond est déjà tapissé, faites un faux pli dans les bandes à l'aide d'un large couteau à grosse lame, le long de l'arête du dièdre que forment le mur et le plafond et coupez ensuite les bandes le long du faux pli, au moyen de ciseaux. N'utilisez pas de couteau rasoir, vous risqueriez de transpercer la bande du plafond.

Comment finir les joints

Laissez les bandes sécher pendant environ ½ heure. Puis, passez légèrement un rouleau à joint sur les joints. Ne faites pas sortir l'adhésif en pressant trop le rouleau. Ne finissez pas au rouleau les joints des revêtements en feuille métallique, des revêtements gaufrés ou en tissu. Tapotez plutôt légèrement les joints à l'aide d'une brosse à coller.

Comment rincer les revêtements muraux

Rincez l'adhésif de la surface à l'eau claire, avec une éponge. Changez l'eau toutes les 3 ou 4 bandes. Ne laissez pas l'eau s'écouler le long des joints. N'utilisez pas d'eau sur les revêtements muraux à motifs gaufrés, en tissu ou en fibre naturelle.

Comment tapisser un plafond

1 Prenez la largeur d'une bande de revêtement mural et soustrayez ½ po. Près d'un coin, reportez cette distance sur le plafond, à partir du mur ; répétez l'opération parallèlement, à plusieurs endroits le long du mur, et marquez les points au crayon sur le plafond.

Techniques de recouvrement des plafonds et des murs

Vous tapisserez plus facilement un plafond si vous vous faites aider. Demandez à votre aide de tenir une extrémité de la bande pliée en accordéon pendant que vous tenez l'autre extrémité.

Saupoudrez vos mains de talc lorsque vous manipulez un revêtement mural sec : vous éviterez ainsi de le tacher. Lorsque vous préparez le recouvrement d'un plafond, n'oubliez pas que le motif de la dernière bande que vous allez installer risque d'être interrompu par la ligne du plafond. Comme le bord le moins visible du plafond est habituellement celui du mur d'entrée, commencez par installer les bandes du plafond à l'autre extrémité de la pièce et progressez vers la porte d'entrée.

Si vous prévoyez recouvrir les murs et le plafond, n'oubliez pas que le motif du plafond ne peut se combiner parfaitement qu'avec celui d'un seul mur. Planifiez votre travail de manière à ce que les bandes du plafond se raccordent parfaitement à celles du mur que vous avez choisi.

2 À l'aide d'un crayon et d'une règle, joignez ces points en traçant une ligne sur toute la longueur du plafond. Découpez et préparez la première bande de revêtement mural (page 128).

3 En progressant par petites sections, placez la bande contre la ligne repère. La bande dépassera de ¹/₂ po le long du mur latéral, et laissez-la dépasser de 2 po le long du mur du fond. Tout en avançant, lissez la bande à l'aide d'une brosse à coller. Coupez l'excédent de la bande après l'avoir lissée.

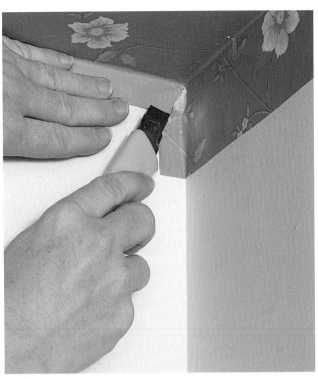

4 Dans le coin, coupez en biais le petit morceau du revêtement qui dépasse, de manière à ce que la bande soit plate. Pressez le revêtement dans le coin à l'aide d'un couteau à plaques de plâtre.

5 Si vous tapissez également le mur du fond, réduisez le dépassant de 2 po à ¹/₂ po. Laissez dépasser le revêtement de ¹/₂ po sur tous les murs qui seront tapissés avec le même revêtement.

Sur les murs qui ne seront pas tapissés, coupez le revêtement excédentaire à l'aide d'un couteau rasoir bien aiguisé, en tenant un couteau à plaques de plâtre contre la ligne du plafond. Continuez à tapisser en aboutant les bords des bandes pour que les motifs correspondent.

Comment tapisser les murs

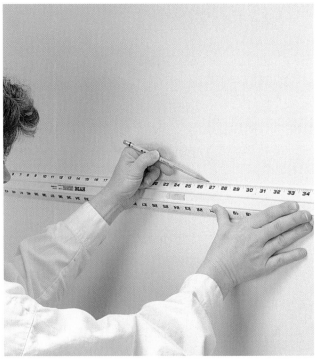

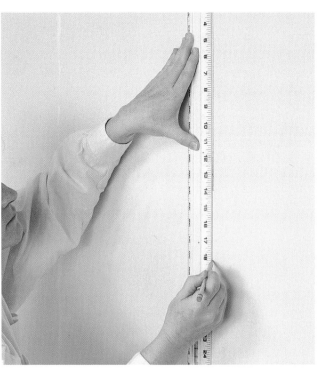

1 En partant d'un coin, reportez horizontalement une distance égale à la largeur du revêtement mural, moins ½ po, et marquez l'endroit d'un point. Faites un croquis des endroits des joints et apportez les corrections nécessaires (voir Le plan de recouvrement, pages 126-127).

2 À l'aide d'une règle à bulle, tracez une ligne verticale. Si le motif du mur doit correspondre avec celui du plafond, tracez une ligne verticale de haut en bas, en partant du premier joint du plafond.

3 Coupez et préparez la première bande (page 128). Commencez par déplier la partie supérieure de la bande pliée. Posez la bande contre la ligne verticale de manière à ce que la bande dépasse de plus ou moins 2 po le long du plafond. Assurez-vous que la ligne du plafond n'interrompt pas le motif.

4 Entaillez la bande dans le coin, pour que le revêtement mural puisse épouser la forme du coin sans gondoler. Les paumes à plat, faites glisser la bande en place en veillant à ce que son bord longe la ligne verticale. Lissez la bande à l'aide d'une brosse à coller.

5 Dépliez l'autre extrémité de la bande et, à l'aide des paumes, faites-la glisser contre la ligne verticale. Lissez la bande à l'aide d'une brosse à coller. Assurez-vous qu'il n'y a pas de bulles.

6 À l'aide d'un couteau rasoir bien aiguisé, coupez l'excédent du revêtement mural. Si le plafond est tapissé, faites un faux pli dans la bande en longeant l'arête du mur avec un couteau à plaques de plâtre et, à l'aide de ciseaux – pour éviter de transpercer le revêtement –, coupez la bande le long du faux pli. Rincez les surfaces pour les débarrasser de toute trace d'adhésif.

7 Placez les autres bandes, en les accolant de manière que les motifs correspondent. Laissez sécher chaque bande pendant environ $1/2$ heure avant de lissez légèrement le joint avec un rouleau à joint. Si le revêtement est gaufré ou s'il est en tissu, tapotez légèrement le joint avec une brosse à coller.

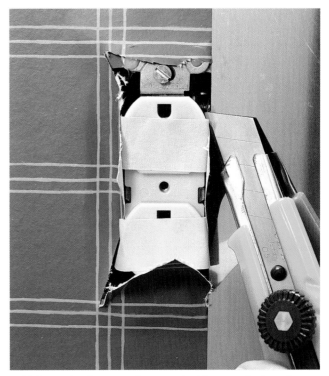

8 L'alimentation de courant étant coupée, laissez pendre le revêtement mural au-dessus des prises et des interrupteurs. Pratiquez de petites entailles en diagonale pour exposer la prise. À l'aide d'un couteau rasoir, découpez le revêtement mural jusqu'aux bords de la boîte électrique.

Comment tapisser un coin intérieur

1 Coupez et préparez une bande (page 128). Pendant qu'elle s'imprègne, mesurez la distance entre le bord de la bande précédente et le coin, en haut, au milieu et en bas du mur. Ajoutez ½ po à la plus grande distance mesurée.

2 Alignez les extrémités de la bande pliée. Du bord latéral, reportez en deux points la distance mesurée à l'étape 1. Joignez les deux points à l'aide d'une règle et, à l'aide d'un couteau rasoir bien aiguisé, découpez la bande de revêtement mural.

3 Placez la bande sur le mur en veillant à ce que ses motifs correspondent avec ceux de la bande précédente. La bande dépassera la ligne du plafond de plus ou moins 2 po. Les paumes à plat, accolez soigneusement les deux bandes. La nouvelle bande chevauchera légèrement le mur non recouvert.

4 Faites de petites entailles dans le coin, en haut et en bas de la bande, pour que l'excédent épouse la forme des coins sans gondoler. À l'aide d'une brosse à coller, lissez la bande, puis coupez l'excédent, au plafond et le long de la plinthe.

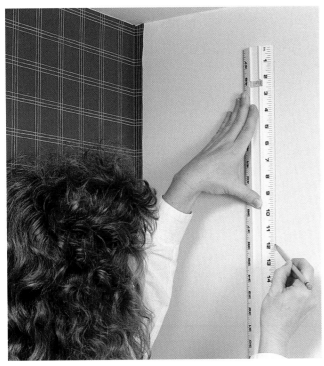

5 Mesurez la largeur du reste de la bande. Reportez cette distance, à partir du coin, sur le mur non recouvert. Tracez-y une ligne verticale, du plafond au plancher, en utilisant une règle à bulle.

6 Posez la bande sur le mur, le bord coupé dans le coin et l'autre bord le long de la nouvelle ligne verticale. Lissez la bande à l'aide d'une brosse à coller et coupez l'excédent de la bande, en haut et en bas.

7 Si vous installez un revêtement mural en vinyle, repliez le bord libre de la bande et appliquez de l'adhésif vinyle sur vinyle sur la partie du joint qui sera recouverte. Pressez le joint en place, attendez ½ heure et passez le rouleau à joint ; rincez ensuite l'endroit à l'aide d'une éponge humide.

Variante : normalement, on peut tapisser les **coins extérieurs** sans devoir couper la bande ni tracer une nouvelle ligne verticale. Si le coin n'est pas d'aplomb, suivez les instructions données pour les coins intérieurs, mais en ajoutant 1 po à la distance mesurée à l'étape 1 pour envelopper davantage le coin.

Techniques de revêtement des fenêtres et des portes

Ne découpez pas à l'avance les bandes de revêtement mural qui doivent épouser la forme des cadres des portes ou des fenêtres. Laissez pendre une bande complète sur l'encadrement et lissez ensuite la bande avant de découper les bords le long de l'encadrement de la porte ou de la fenêtre. Faites des entailles en diagonale pour que le revêtement mural épouse les coins des encadrements. Pour ne pas endommager le bois en pratiquant ces entailles, utilisez des ciseaux plutôt qu'un couteau rasoir.

Si vous devez pendre de courts morceaux de revêtement au-dessus et en dessous d'une ouverture, assurez-vous de les poser pour qu'ils soient parfaitement verticaux et que leur motif puisse correspondre avec celui de la bande complète suivante. Ne découpez pas les courts morceaux avant d'avoir placé la dernière bande complète. Vous pourrez ainsi procéder à de petits ajustements si les raccords sont imparfaits.

Comment tapisser autour des portes et des fenêtres

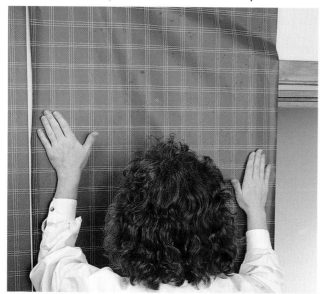

1 Posez la bande sur le mur, en la laissant pendre au-dessus de l'encadrement de la fenêtre. Accolez le bord de la bande et le bord de la bande précédente.

2 Lissez les parties plates du revêtement à l'aide d'une brosse à coller. Pressez fermement la bande contre l'encadrement.

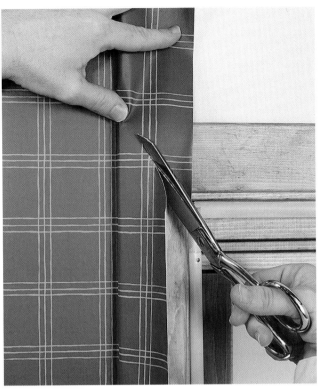

3 À l'aide de ciseaux, faites une entaille, en diagonale, depuis le bord de la bande jusqu'au coin de l'encadrement. Faites une entaille semblable dans le coin inférieur, si vous tapissez autour d'une fenêtre.

4 Utilisez des ciseaux pour enlever l'excédent de revêtement mural jusqu'à 1 po environ à l'intérieur de l'encadrement. Ce faisant, lissez le revêtement mural et évacuez les bulles.

5 Pressez le revêtement mural contre l'encadrement à l'aide d'un couteau à plaques de plâtre et découpez l'excédent au moyen d'un couteau rasoir bien aiguisé. Découpez l'excédent de revêtement au niveau du plafond et de la plinthe. Rincez le revêtement mural et les encadrements à l'aide d'une éponge humide.

6 Découpez de courts morceaux de bande pour tapisser les sections situées au-dessus et en dessous de la fenêtre. Posez les petits morceaux de bande parfaitement verticaux pour que leur motif corresponde avec le motif de la bande complète suivante.

(Suite à la page suivante)

Comment tapisser autour des portes et des fenêtres *(suite)*

7 Coupez et préparez la bande complète suivante. Placez-la contre le mur en accolant le bord et la bande précédente et en faisant correspondre les motifs.

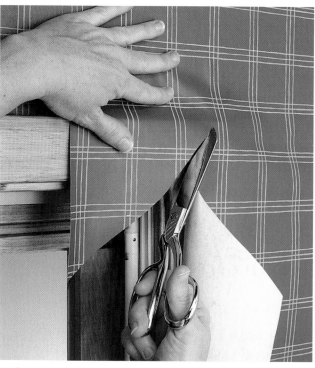

8 Faites une entaille en diagonale, dans les coins supérieur et inférieur, depuis le bord de la bande jusqu'aux coins de l'encadrement. Coupez l'excédent de revêtement mural jusqu'à 1 po environ à l'intérieur de l'encadrement de la fenêtre ou de la porte.

9 Accolez le bord de la partie inférieure de la bande à la bande précédente. À l'aide de ciseaux, coupez l'excédent du revêtement mural jusqu'à 1 po environ du bord de l'encadrement. Lissez la bande au moyen d'une brosse à coller.

10 Pressez le revêtement mural contre l'encadrement à l'aide d'un couteau à plaques de plâtre et coupez l'excédent avec un couteau rasoir. Coupez l'excédent de revêtement au niveau du plafond et de la plinthe. Rincez le revêtement mural et les encadrements en utilisant une éponge humide.

Comment tapisser une fenêtre en retrait

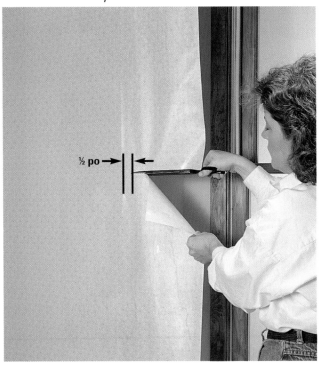

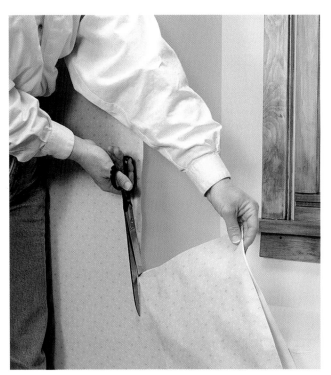

1 Installez les bandes de revêtement mural de manière qu'elles dé-passent le renfoncement. Lissez les bandes et coupez l'excédent de revêtement mural au niveau du plafond et de la plinthe. Pour tapisser le dessus et le bas du renfoncement, faites une entaille horizontale à peu près à mi-hauteur, jusqu'à ½ po du mur.

2 Du fond de l'entaille horizontale (étape 1), coupez verticalement le revêtement, vers le haut et vers le bas du renfoncement. Faites de petites entailles en diagonale vers les coins du renfoncement.

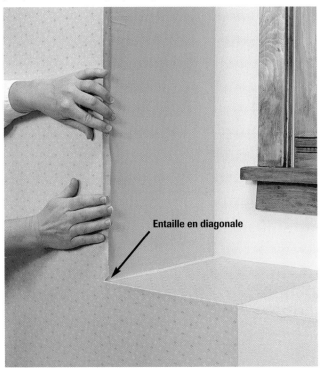

Entaille en diagonale

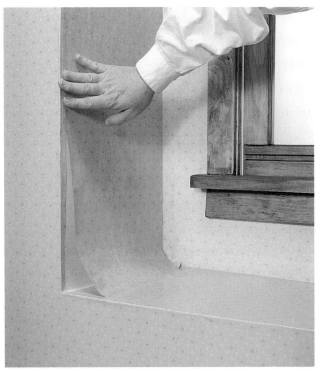

3 Pliez les parties libres du revêtement mural sur la surface inférieure et la surface supérieure du renfoncement. Lissez les bandes à ces endroits et coupez-les au fond du renfoncement. Pliez le bord vertical autour du coin du renfoncement. Tapissez autour de la fenêtre, si nécessaire (pages 138-139).

4 Mesurez, découpez et préparez une pièce de revêtement mural qui couvrira le côté du renfoncement. Cette pièce doit recouvrir par-tiellement le dessus et le bas du renfoncement ainsi que le bord verti-cal rabattu. Utilisez de l'adhésif vinyle sur vinyle pour coller les parties de revêtement qui chevauchent, aux joints.

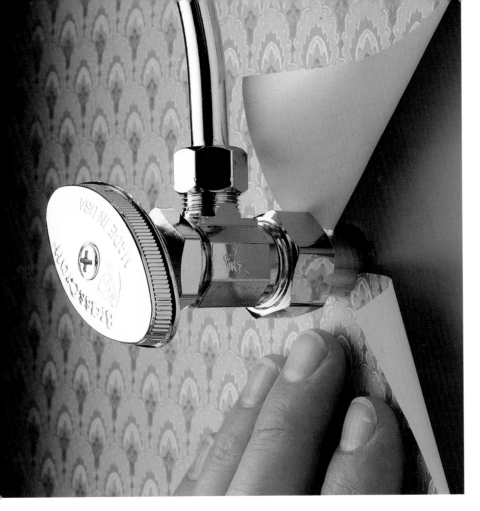

Techniques de revêtement des conduites, des radiateurs et des fixations

Tapissez les murs autour des lavabos, des tuyaux et des autres obstacles en entaillant les bandes de revêtement mural posé. Tenez la bande de manière que les motifs correspondent à ceux de la bande précédente et entaillez-la à partir du bord le plus rapproché de l'accessoire. Pour dissimuler l'entaille, faites-la autant que possible le long d'une ligne de motif. À l'extrémité de l'entaille la plus rapprochée de l'obstacle, découpez une ouverture pour que le revêtement entoure l'accessoire. Si vous tapissez le mur autour d'un lavabo, prévoyez de petits surplus de revêtement que vous cacherez derrière le lavabo.

Comment tapisser un mur autour d'un tuyau

1 Écartez du mur la plaquette de garniture. Tenez la bande de revêtement mural contre le mur de manière que le motif corresponde à celui de la bande précédente. Du bord le plus rapproché de la bande, faites une entaille jusqu'au tuyau.

2 À l'aide d'une brosse à coller, pressez la bande à plat jusqu'au tuyau.

3 Découpez une ouverture à l'extrémité de l'entaille, pour que le revêtement épouse le contour du tuyau. Accolez les bords de l'entaille et lissez-les.

Comment tapisser un mur autour d'un lavabo mural

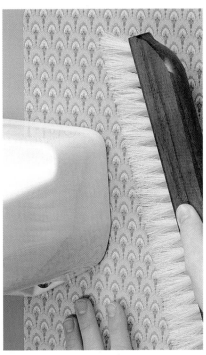

1 Lissez la bande de revêtement mural jusqu'au bord du lavabo. Faites des entailles horizontales dans le revêtement, en laissant ¼ po d'excédent au-dessus et en dessous du lavabo.

2 Découpez le revêtement mural sur le côté du lavabo, en laissant un excédent dépasser légèrement.

3 Lissez le revêtement mural. Dissimulez si possible l'excédent de revêtement en l'insérant dans l'espace situé entre le lavabo et le mur, ou découpez-le.

Comment tapisser derrière un radiateur

1 Dépliez complètement la bande de revêtement et placez-la contre le mur. Lissez-la du plafond jusqu'au-dessus du radiateur. À l'aide d'une latte en bois, lissez la bande derrière le radiateur et marquez le faux pli du revêtement contre la plinthe.

2 Tirez le bas de la bande de derrière le radiateur, vers le haut. Découpez l'excédent de revêtement mural le long du faux pli. Replacez le revêtement derrière le radiateur en le lissant au moyen de la latte en bois.

Comment tapisser une arcade

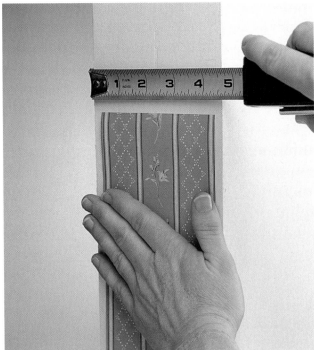

1 On trouve parfois des bordures assorties à certains revêtements muraux qu'on peut utiliser pour tapisser l'intérieur d'une arcade. Si tel n'est pas le cas, mesurez la longueur de la surface intérieure de l'arcade et découpez une bande dans un rouleau standard de revêtement. La largeur de la bande doit être inférieure de ¼ po à l'épaisseur du mur de l'arcade.

2 Placez le revêtement mural contre le mur, des deux côtés de l'arcade, en laissant dépasser les bandes dans l'ouverture de l'arcade. Lissez les bandes et coupez l'excédent au niveau du plafond et des plinthes.

Techniques de revêtement des arcades

Tapissez la surface intérieure des arcades lorsque vous avez terminé de tapisser les murs. Pliez les bandes murales autour des bords de l'arcade et tapissez ensuite la surface intérieure de l'arcade au moyen d'une bande assortie ou d'une bordure qui dissimulera les bords rabattus. Faites une série de petites entailles dans les bandes murales, le long de la courbe de l'arcade pour que le revêtement mural soit bien lisse. Utilisez de l'adhésif vinyle sur vinyle pour coller la bande de l'arcade.

3 À l'aide de ciseaux, découpez la partie du revêtement qui dépasse pour ne laisser qu'un bord d'environ 1 po.

4 Pratiquez de petites entailles dans le revêtement mural, le long de la partie courbe de l'arcade, en arrêtant les entailles le plus près possible du bord du mur.

5 Pliez les bords entaillés vers l'intérieur de l'arcade et pressez-les pour les aplatir. Si vous avez également tapissé la pièce adjacente, pliez le revêtement le long des deux bords, de part et d'autre de l'arcade.

6 Enduisez d'adhésif vinyle sur vinyle le dos de la bande de l'arcade. Placez-la le long de la surface intérieure de l'arcade, en laissant $1/8$ po de chaque côté. Lissez la bande au moyen d'une brosse à coller, puis rincez-la à l'aide d'une éponge humide.

Plaques d'interrupteurs et de prises de courant

Recouvrez de revêtement mural assorti les plaques d'interrupteurs et de prises de courant. Utilisez de l'adhésif vinyle sur vinyle si les plaques sont en plastique.

Vous pouvez complètement noyer les interrupteurs et les prises de courant dans le revêtement mural en peignant, dans une couleur assortie, la face des prises, les leviers des interrupteurs et les têtes des vis des plaques. Assurez-vous de couper l'alimentation électrique sur le panneau de distribution principal (ou dans la boîte à fusibles) et vérifiez si les interrupteurs et les prises sont hors circuit avant d'y travailler.

Conseil

Si vous tapissez les plaques des interrupteurs et des prises de courant dans une salle de bains d'amis ou une chambre d'amis, installez des interrupteurs à levier lumineux, vos amis apprécieront cette attention.

Il existe une solution pour assortir les prises et les interrupteurs : il suffit d'acheter des plaques en plastique transparent. Découpez une pièce de revêtement mural qui s'insère dans la plaque en plastique et découpez les ouvertures nécessaires pour les prises ou les leviers.

Comment recouvrir les plaques des interrupteurs ou des prises de courant

1 Enlevez la plaque et replacez les vis. Découpez une pièce de revêtement mural correspondant à la surface qui entoure l'interrupteur ou la prise de courant. Fixez cette pièce au-dessus de la sortie à l'aide de bande adhésive et de manière que le motif corresponde avec celui du mur.

2 Frottez la surface de la pièce pour marquer le contour de la prise ou des vis de l'interrupteur. Détachez la pièce et marquez les points de référence au crayon, au dos de la pièce.

3 Placez la plaque retournée sur la pièce de revêtement mural de manière que les marques des trous coïncident avec les trous de la plaque. Marquez les coins de la plaque sur le dos de la pièce.

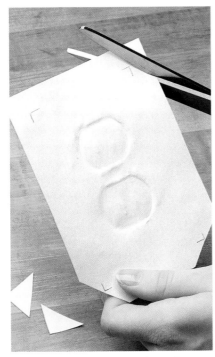

4 Découpez un morceau de revêtement dont les bords débordent ceux de la plaque de ½ po. Coupez les coins en diagonale, juste en dehors des marques de chaque coin.

5 Enduisez d'adhésif vinyle sur vinyle la plaque et la pièce. Collez la plaque à la pièce et éliminez les bulles. Pliez l'excédent de la pièce autour des bords de la plaque et collez-les au dos de la plaque.

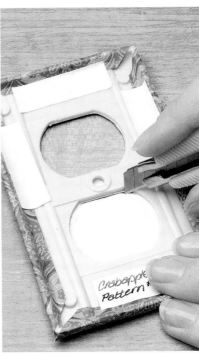

6 À l'aide d'un couteau rasoir, découpez les ouvertures prévues dans la pièce. Indiquez les spécifications du motif du revêtement mural sur un des bandes adhésives, au dos de la plaque, pour référence future.

Bordures

Il existe un grand choix de bordures à tapisser qu'on peut utiliser pour achever n'importe quel mur peint ou tapissé. Vous pouvez installer la bordure comme une moulure de couronnement, autour du plafond, ou pour encadrer les fenêtres, les portes, ou le foyer. Lorsque vous utilisez une bordure pour souligner un aspect de la pièce ou encadrer certains de ses éléments décoratifs, choisissez une bordure à motif non directionnel, car les motifs directionnels donnent parfois une moins bonne impression lorsqu'on les retourne.

De nombreux revêtements muraux s'assortissent de bordures dont les couleurs et les motifs rappellent ceux du revêtement. Vous pouvez également créer votre propre bordure en découpant d'étroites bandes dans des rouleaux de revêtement mural. Les fabricants de certaines de bordures proposent des pièces de coin, assorties ou coordonnées, qui ajoutent une touche de finition à l'ensemble du travail. Pour obtenir des pièces de coin ou d'extrémité sur mesure, vous pouvez aussi découper les motifs nécessaires dans des feuilles de revêtements ou des bandes de bordures supplémentaires et les coller sur la bordure en utilisant de l'adhésif vinyle sur vinyle.

Pour savoir où placer la bordure, découpez-en une bande de plusieurs pieds de long. Placez-la sur le mur, à différents endroits, pour voir comment l'emplacement de la bordure modifie les proportions de la pièce. Une bordure placée au sommet du mur, par exemple, attire l'œil vers le haut, vers le plafond. Placée à la hauteur des tableaux, une bordure donnera l'impression que le plafond est plus bas. Pour utiliser une bordure comme cimaise à fauteuils, placez le centre de la bordure à un tiers de la hauteur du mur.

Installez les bordures en commençant dans un endroit peu visible, comme le côté charnière d'une porte d'entrée. C'est important, car le faux raccord tombe habituellement là où l'extrémité de la bordure rejoint son point de départ. Vous pouvez installer une bordure comme une bande continue autour des portes et des fenêtres en utilisant une technique simple de chevauchement pour former des joints biseautés parfaits dans les coins.

Les bordures à tapisser sont vendues à la verge ou tout emballées en rouleaux de 5 à 7 verges. Pour déterminer la longueur dont vous avez besoin, mesurez les endroits où passera la bordure. Ajoutez une certaine longueur pour prendre en compte la correspondance des motifs et les déchets normaux produits par le découpage. Pour chaque coin en biseau, ajoutez au moins deux largeurs de bordure, plus 2 po.

Comment poser les bordures

1 Si vous installez une bordure autre part que le long du plafond ou de la plinthe, tracez légèrement une ligne au crayon tout autour de la pièce, à la hauteur désirée, en utilisant un niveau à bulle. Coupez la première bande de la bordure. Préparez-la en utilisant de l'adhésif à bordure et en appliquant les méthodes de préparation des revêtements muraux non encollés (page 129).

2 Commencez dans le coin le moins visible, en laissant la bordure dépasser de 1/2 po sur le mur adjacent. Demandez à un aide de tenir la bordure pliée en accordéon pendant que vous l'appliquez et que vous la lissez à l'aide d'une brosse à coller.

3 Dans le coin intérieur, repliez 1/4 po d'excédent sous la bande de la bordure. Appliquez la bande de bordure adjacente et coupez-la dans le coin à l'aide d'un couteau rasoir.

4 Dépliez l'extrémité de la première bande et lissez la bande dans le coin, en la laissant chevaucher sur le mur adjacent. Aplatissez la bande et, si nécessaire, appliquez de l'adhésif à l'endroit du joint.

5 Lorsqu'un joint tombe au milieu d'un mur, faites chevaucher les deux bandes de manière que les motifs correspondent. Coupez à travers les deux épaisseurs, en utilisant un couteau rasoir et un couteau à plaques de plâtre. Repliez les bandes de bordure et enlevez les extrémités coupées. Pressez les bandes à plat. Après ½ heure, passez un rouleau à joint et rincez la bordure avec une éponge humide.

6 Coupez la bordure contre l'encadrement d'une porte ou d'une fenêtre en la tenant contre l'extrémité extérieure de l'encadrement au moyen d'un couteau à plaques de plâtre et en coupant l'excédent à l'aide d'un couteau rasoir bien aiguisé. Rincez la bordure et l'encadrement à l'aide d'une éponge humide.

Comment faire les joints en biseau des bordures dans les coins

1 Appliquez la bande de bordure horizontale, en la laissant dépasser, dans le coin, d'une distance supérieure à la largeur de la bordure. Appliquez la bande de bordure verticale en la faisant chevaucher la bande horizontale.

2 Tenez une règle de manière à joindre les points d'intersection des bandes et coupez à travers les deux épaisseurs à l'aide d'un couteau rasoir. Repliez les bandes et retirez les extrémités coupées.

3 Pressez les bandes de la bordure en place. Après ½ heure, passez légèrement le rouleau à joint. À l'aide d'une éponge humide, rincez la bordure pour la débarrasser de toute trace d'adhésif.

Panneaux

En combinant les revêtements muraux et les bordures assorties, vous pouvez créer des panneaux muraux décoratifs qui rehausseront l'élégance des murs peints. Utilisez des panneaux pour diviser de grands murs en sections plus petites, ou placez-les pour qu'ils mettent en valeur des tableaux ou des miroirs. Donnez-leur une dimension identique ou alternez des panneaux larges et des panneaux étroits.

Pour équilibrer l'ensemble, espacez uniformément les panneaux sur le mur, en laissant un peu plus d'espace en dessous du panneau qu'au-dessus. Commencez par décider de l'emplacement des panneaux dominants ou les plus visibles. N'hésitez pas à tracer un croquis de la pièce sur du papier quadrillé, en tenant compte de la position des fenêtres, des portes et des meubles. Tenez également compte de la répétition des motifs du revêtement mural pour harmoniser l'ensemble des motifs.

Avant de découper des revêtements muraux, faites de faux panneaux en papier d'emballage et fixez-les aux murs avec de la bande adhésive, conformément à votre plan. Une fois les faux panneaux en place, servez-vous de leurs dimensions pour tracer les contours des panneaux réels.

Comment poser des panneaux muraux

1 Déterminez la dimension et la position des panneaux en les découpant dans du papier d'emballage et en les fixant au mur avec de la bande adhésive. À l'aide d'un crayon et d'un niveau à bulle, tracez le contour des panneaux sur le mur. Mesurez et notez la dimension de chaque panneau.

2 À l'aide d'une équerre, découpez aux dimensions voulues une bande de revêtement mural qui formera le centre de chaque panneau. Préparez la bande en suivant les instructions de la page 129.

3 Dépliez la partie supérieure de la bande pliée. Pressez-la légère-ment contre le mur, en alignant les bords sur les lignes tracées. Les paumes à plat, glissez la bande en place. Aplatissez le dessus de la bande à l'aide d'une brosse à coller et assurez-vous qu'il ne reste au-cune bulle.

4 Dépliez la partie inférieure de la bande. Les paumes à plat, accolez la bande aux lignes tracées. Aplatissez la bande à l'aide d'une brosse à coller et assurez-vous qu'il ne reste aucune bulle.

5 Découpez les bandes restantes et installez-les, en faisant con-corder les motifs et en accolant les joints. Après ½ heure, lissez les joints au rouleau. Rincez le revêtement mural et le mur pour le débar-rasser de toute trace d'adhésif, en utilisant de l'eau claire et une éponge humide. Préparez la bordure en utilisant de l'adhésif à bordure et en suivant les méthodes de préparation des revêtements muraux non encollés (page 129).

6 Installez les bandes de bordure dans le sens des aiguilles d'une montre, en commençant dans le coin le moins visible. Accolez les bords intérieurs des bandes aux bords des panneaux. Joignez les bandes en biseau dans les coins (page 151). Ne lissez que légèrement le pre-mier coin, jusqu'à ce que la dernière bande soit installée. Passez les joints et les bords extérieurs de la bordure au rouleau, après ½ heure.

Touches de finition

Comment supprimer une bulle

Lorsque vous avez fini de tapisser une pièce, vérifiez s'il faut faire des retouches avant que le travail ne soit sec. Prêtez une attention particulière aux joints : si vous avez appuyé trop fort sur le rouleau ou que vous avez passé le rouleau avant que l'adhésif ne soit suffisamment sec, vous avez peut-être ôté trop d'adhésif des bords du revêtement mural. Ces bords paraîtront accolés tant qu'ils seront humides, mais ils formeront une bulle lorsque le revêtement mural sera sec. Recollez les bords du joint comme indiqué.

En vous aidant d'un puissant éclairage de côté, inspectez le revêtement mural pour déceler les bulles, les parties non collées et les autres défauts. Placez-vous près du mur et regardez-le sur toute sa longueur, à contre-jour.

1 À l'aide d'un couteau rasoir bien aiguisé, faites une entaille dans la bulle. Si le revêtement porte un motif, faites l'entaille le long d'une ligne du motif, pour la dissimuler.

2 Introduisez la pointe d'un tube d'adhésif dans l'entaille et appliquez un peu d'adhésif sur le mur, sous le revêtement mural.

3 Pressez délicatement le revêtement mural contre le mur, pour le recoller. Utilisez une éponge humide, propre, pour appuyer sur le revêtement à cet endroit, et essuyez l'excédent de colle.

Comment rapiécer un revêtement mural

1 À l'aide d'une bande adhésive, fixez une pièce de revêtement mural non utilisée sur l'endroit endommagé, en faisant coïncider les motifs.

2 En tenant la lame d'un couteau rasoir perpendiculairement au mur, coupez au travers les deux couches de revêtement mural. Si le revêtement porte des lignes de motifs marquées, coupez les deux couches le long de ces lignes pour dissimuler les joints. Aux autres endroits, coupez le revêtement suivant une ligne irrégulière.

3 Enlevez la pièce non utilisée et la pièce de revêtement abîmée. Enduisez d'adhésif le dos de la pièce non utilisée et placez-la dans le trou en faisant correspondre les motifs. À l'aide d'une éponge humide, rincez l'endroit réparé.

Comment réparer un joint

Soulevez le bord du revêtement et introduisez la pointe d'un tube d'adhésif en dessous du revêtement. Pressez le tube pour appliquer de l'adhésif sur le mur et appuyez délicatement sur le revêtement, à l'endroit du joint. Attendez $1/2$ heure et lissez ensuite le joint en passant légèrement le rouleau à joint. Essuyez légèrement le joint à l'aide d'une éponge humide.

Techniques avancées de peinture et de décoration

Peinture des motifs et finis compliqués

*E*n plus du procédé standard de peinture des murs et des plafonds d'une seule couleur, il existe toute une série de techniques avancées de peinture, qui vous permettent de donner libre cours à votre créativité et à votre originalité dans la décoration. Dans cette section, vous apprendrez à utiliser des outils modernes et des techniques de peinture consacrées, maîtrisées par les artistes et les décorateurs. Avec les outils appropriés et un peu de pratique, vous pourrez rendre tous ces effets et laisser votre imagination appliquer ou adapter les techniques que vous aurez choisies.

Vous apprendrez tout d'abord à connaître les outils spéciaux utilisés pour créer des effets particuliers. Vous apprendrez à faire des glacis, à suivre des recettes pour améliorer la texture et la maniabilité de votre peinture. Il vous suffira ensuite de choisir le motif ou le fini qui ravivera une pièce ou ajoutera une touche spéciale à une surface terne.

Cette section contient plus de 20 techniques de peinture, allant des simples motifs rayés aux modèles de peinture au pochoir, en passant par les finis en faux moiré qui reproduisent la beauté et la texture délicate de la soie filigranée. Vous y trouverez également plusieurs finis pour planchers. Examinez toutes les techniques avant d'en choisir une, vous serez peut-être tenté par un motif obtenu en combinant plusieurs finis. Par exemple, vous pouvez ajouter de la profondeur à l'effet ordonné produit par un motif rayé en finissant une raie sur deux à l'aide d'une peinture texturée.

Pour obtenir les plus beaux finis, préparez la surface que vous allez peindre (pages 60 à 89) et appliquez si nécessaire une couche de peinture de base ou d'apprêt. Vous pouvez vous exercer à ces techniques et tester les couleurs que vous avez choisies en appliquant le fini sur un grand morceau de carton qui servira d'échantillon et que vous pendrez au mur pour un test de 24 heures (page 57).

Outils de peinture perfectionnés

On a mis au point de nombreux outils et pinceaux qui permettent de créer des effets décoratifs spéciaux en peinture, et certains d'entre eux peuvent créer plusieurs effets différents. Pour réussir de faux finis, il faut apprendre à utiliser les différents outils appropriés et à connaître leurs possibilités. La plupart d'entre eux existent en plusieurs tailles. En règle générale, utilisez la plus grande taille d'outil ou de pinceau qui convienne à la surface à couvrir.

Certains outils et pinceaux sont conçus pour travailler le glacis humide sur la surface. Ce sont les spalters (A), les brosses à mélanger ou à polir (B), les pinceaux pour fondre les couleurs (C) et la brosse pour faire du faux bois (D).

On peut créer certains faux effets en utilisant des outils d'extraction comme le tampon à veinage du bois (E), les spalters (F), les outils à essuyer (G) et les peignes (H). En faisant des encoches dans les gommes d'artiste (I), on peut les utiliser comme des peignes (page 219).

Les pinceaux spéciaux conçus pour appliquer les peintures et les glacis comprennent les pinceaux d'artiste tels que les pinceaux à soie ronde (J), les petits-gris (K) et les pinceaux en dague (L). On peut s'en servir pour le veinage des finis marbrés ou le veinage imitant le bois. On trouve des pochons (M) de ¼ à 1¼ po de diamètre et on utilise également d'autres outils, tels que l'éponge de mer (N) ou les plumes (O) pour appliquer les peintures et les glacis. Le rouleau décoratif (P) est un outil spécial, utilisé pour donner une structure poreuse à un faux fini de chêne.

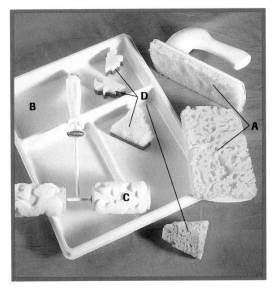

Vous trouverez des nécessaires contenant des outils de peinture décorative, faciles à utiliser (ci-dessus), auxquels vous pourrez ajouter d'autres accessoires achetés séparément. Le nécessaire de base contient par exemple un manche applicateur avec des tampons interchangeables en laine ou en éponge de mer (A) ; un plateau à 3 compartiments pour séparer les peintures de différentes couleurs (B) ; un rouleau double à motifs, pour créer un fini ou une bordure de deux tons mélangés (C) ; des outils à arrondir et à finir, pour achever les motifs dans les coins et dans les endroits exigus (D).

Matériel de peinture perfectionné

Vous pouvez utiliser avec succès les peintures au latex et les peintures acryliques pour produire toute une gamme de faux finis en variant les techniques. Comme ce sont des peintures à l'eau, il est facile de les nettoyer avec de l'eau et du savon, et elles sont également plus écologiques que les peintures à l'huile.

Les peintures à l'eau sèchent rapidement, ce qui n'est pas nécessairement un avantage en peinture décorative, surtout lorsque les techniques utilisées exigent que l'on travaille la peinture sur la surface. Plusieurs produits d'addition permettent d'allonger le temps de reprise, c'est-à-dire le temps pendant lequel on peut travailler la peinture. Les conditionneurs de peinture au latex, comme le Loetrol et les produits d'addition des peintures acryliques en font partie. Ces produits sont vendus par les détaillants en peinture et les fournisseurs de produits d'artisanat.

Lorsqu'on applique certaines techniques de peinture décorative, il est préférable d'utiliser un glacis, qui est habituellement plus fluide et plus transparent qu'une peinture. Il existe des glacis acryliques prémélangés dans certaines couleurs. On peut les mélanger à d'autres glacis pour produire d'autres couleurs. Il existe également des produits acryliques sans teinte dans les finis brillant, satiné ou mat que l'on peut mélanger avec les peintures acryliques ou au latex pour obtenir des glacis. Le produit pour glacis ne change pas la couleur de la peinture ; on ajoute généralement une petite quantité de peinture à ce produit, juste assez pour lui donner la couleur désirée. On peut encore mélanger la peinture acrylique ou au latex avec de l'uréthane ou du vernis à l'eau pour obtenir un glacis presque transparent.

Conseils pour utiliser les glacis

- Protégez les surfaces avoisinantes au moyen de toiles de peintre ou de feuilles de plastique et portez de vieux vêtements, car l'application des glacis est salissant.

- Utilisez un large ruban-cache (page 84) pour masquer les surfaces voisines. Frottez énergiquement sur les bords du ruban pour que le glacis ne puisse pas s'infiltrer sous celui-ci.

- Si vous désirez appliquer une couche de glacis uniforme ou que vous peignez une grande surface, comme un mur, utilisez un rouleau.

- Si vous désirez appliquer un glacis au fini poli ou si la surface à peindre est petite, utilisez un pinceau.

- Utilisez un applicateur à éponge pour appliquer le glacis lorsque la surface doit présenter des différences ou un motif, ou lorsque vous peignez une petite surface.

- Travaillez le glacis tant qu'il est humide. L'humidité de l'air influence le temps de reprise, mais on ne peut habituellement travailler les glacis que pendant quelques minutes.

- Travaillez avec un aide lorsque vous devez peindre une grande surface avec un glacis. Ainsi, pendant que l'un d'entre vous applique le glacis, l'autre le travaille.

Utilisez une peinture-émail peu brillante comme couche de base sous les faux finis. La surface légèrement brillante permet à la couche de fini d'adhérer tout en permettant aux outils de travail de se déplacer facilement sur la surface.

On trouve dans le commerce des peintures acryliques de toutes les couleurs. On peut les utiliser seules, au pochoir, ou mélangées avec des produits acryliques pour créer des glacis qui permettent d'obtenir des finis décoratifs.

On trouve également des glacis de peinture acrylique prémélangés dans une variété de couleurs pour réaliser de faux finis. Ils sont légèrement translucides et contiennent des produits d'addition destinés à allonger leur temps de reprise.

Les produits acryliques ou les produits pour glacis se mélangent à la peinture acrylique ou au latex pour donner des glacis au fini brillant, satiné ou mat.

Motifs masqués

*D*es techniques simples utilisant le ruban-cache du peintre permettent de créer des motifs d'écossais, des bandes ou d'autres motifs géométriques. Choisissez du ruban-cache de qualité professionnelle, qui empêche la peinture de s'infiltrer sous le joint qu'il forme, et qui s'enlève facilement sans risquer d'endommager la couche de base. Vous obtiendrez les meilleurs résultats en appliquant la peinture en couches minces, mais ne diluez pas trop les peintures.

Pour les bandes, utilisez du ruban-cache pour diviser la surface en rangées parallèles et assurer la précision du motif. Pour créer un motif d'écossais, masquez les rangées parallèles et peignez-les en utilisant une couleur à la fois, d'abord dans une direction, puis dans la direction perpendiculaire.

Comment peindre un motif rayé

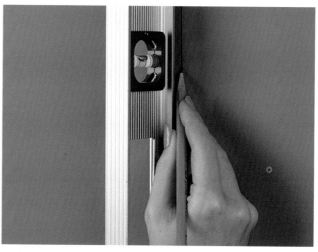

2 Tracez légèrement les lignes verticales de la première bande, en utilisant un crayon et un niveau à bulle. Placez du ruban-cache de peintre le long des lignes et appuyez fermement sur les bords pour assurer un joint étanche.

1 Appliquez une couche de base dans la couleur désirée. Laissez complètement sécher la peinture.

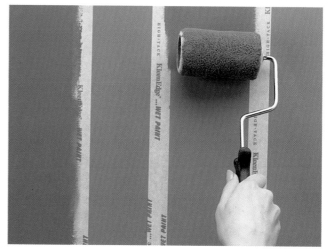

3 Tracez les lignes parallèles correspondant aux autres bandes de la première couleur, en prenant les mesures à partir de la première bande. Tracez les lignes verticales à l'aide du niveau à bulle. Appliquez le ruban-cache. Peignez les bandes, en utilisant un pinceau, un petit rouleau, ou un applicateur à éponge. Laissez sécher la peinture.

Outils et matériel

- Niveau à bulle
- Crayon
- Ruban à mesurer
- Petit rouleau à peinture
- Pinceau ou rouleau pour couche de base
- Peintures acryliques ou au latex
- Ruban-cache de peintre
- Applicateur à éponge

4 Enlevez le ruban-cache le long des bandes peintes. Répétez le processus pour les autres couleurs.

Comment peindre un motif écossais

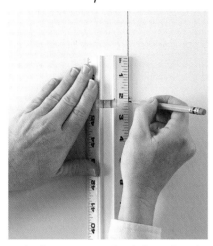

1 Appliquez une couche de base de peinture-émail au latex peu ou moyennement brillante, de la couleur voulue. Laissez sécher la peinture. Mesurez et tracez les lignes verticales et horizontales pour les bandes de la première couleur de peinture, en utilisant un niveau à bulle et en traçant légèrement les lignes au crayon. Basez-vous sur un morceau de tissu écossais pour mesurer et espacer les différentes bandes.

2 Appliquez du ruban-cache de peintre le long des lignes horizontales, en appuyant bien sur les bords du ruban-cache pour rendre les joints étanches.

3 Diluez la peinture de la première couleur, en utilisant de l'eau, un produit d'addition acrylique ou un conditionneur de peinture au latex. La peinture appliquée doit être légèrement translucide. Peignez les bandes horizontales, à l'aide d'un applicateur à éponge. Tirez l'applicateur d'un bout à l'autre de la bande, de manière que les fines raies dans la peinture imitent le tissage. Laissez sécher la peinture et enlevez le ruban-cache.

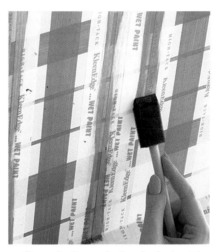

4 Appliquez le ruban-cache pour peindre les bandes verticales de la même couleur que les bandes horizontales. Laissez sécher la peinture et enlevez le ruban-cache.

5 Tracez les lignes des bandes horizontales et verticales de la couleur de peinture suivante. Répétez les étapes 2 à 4.

6 Répétez le processus pour les bandes horizontales et verticales de chacune des autres couleurs.

Outils et matériel

- Pinceau ou rouleau
- Mètre à ruban
- Niveau à bulle
- Crayon
- Applicateur à éponge
- Peinture-émail au latex, peu ou moyennement brillante, pour couche de base

- Tissu écossais
- Ruban-cache de peintre
- Peintures acryliques ou au latex, pour les couleurs des bandes

Motifs à main levée

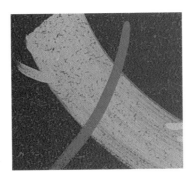

On peut créer des motifs intéressants en donnant des coups de pinceaux spiraux de différentes couleurs. Les trois motifs faciles à reproduire montrés ici et à la page 170 sont créés à l'aide d'outils de peinture de base, tels que des pinceaux d'artiste, des rouleaux pour peinture texturée et des tampons pour peinture.

Vous pouvez peindre des motifs sur vos murs plutôt que d'utiliser des revêtements muraux, et vous pouvez peindre le tissu de vos coussins au lieu de choisir des tissus à motifs. Pour les petits objets, utilisez de plus petits pinceaux et donnez de plus petits coups de pinceau.

Variez les couleurs des peintures, choisissez des couleurs différentes pour les coups de pinceau différents. N'oubliez pas que les couleurs foncées et ternes éloignent le sujet tandis que les couleurs brillantes et les peintures métallisées le rapprochent. Les peintures métallisées rajoutent un effet particulier en réfléchissant la lumière. Pour peindre des tissus, utilisez des peintures fabriquées spécialement pour les produits textiles.

Lorsque vous peignez, superposez les coups de pinceau pour créer un effet multicouche, une impression multidimensionnelle. Ou faites varier les espacements entre les coups pour créer un effet particulier. Avant de peindre les murs, essayez les couleurs et les techniques sur une grande feuille de carton ou sur un morceau de tissu non utilisé.

Outils et matériel

- Pinceau d'artiste n° 4
- Pinceau éventail n° 4
- Pinceau d'artiste plat n° 2
- Pinceau plat de 3 po
- Bac à peinture
- Rouleau à peindre
- Peintures acryliques d'artisanat ou peintures pour tissus
- Essuie-tout

Comment peindre un petit motif spiral

1 À l'aide d'un pinceau d'artiste rond n° 4, appliquez les traits de la première couleur sur la surface en arrondissant légèrement les coups de pinceau. Donnez des coups de pinceau d'environ 4 po de long et espacez-les de 4 à 6 po. Laissez sécher la peinture.

2 À l'aide du même pinceau, appliquez les traits courbes de la deuxième couleur, d'environ 1½ po de long. Exercez moins de pression sur le pinceau pour que les traits soient moins larges que ceux de la première couleur. Laissez quelques traits recouvrir ceux de la première couleur. Laissez sécher la peinture.

3 Appliquez les traits courbes de la troisième couleur, d'environ 1 po de long, en utilisant le bout pointu du même pinceau. Laissez quelques traits recouvrir ceux de la première couleur.

Comment peindre un motif spiral de moyenne grandeur

1 Appliquez la première couleur sur la surface en traits d'environ 4 po de long, à l'aide d'un pinceau éventail n° 4. Laissez sécher la peinture.

2 Appliquez la deuxième couleur au milieu des traits de la première couleur, en coups de pinceau d'environ 6 po de long, à l'aide d'un pinceau d'artiste plat n° 2. Changez la position des traits pour ajouter une touche originale. Laissez sécher la peinture.

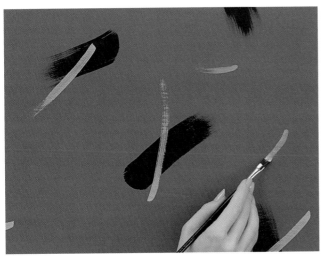

3 Appliquez la troisième couleur, en traits légèrement courbes, d'environ 1½ po à 2 po de long, à l'aide d'un pinceau d'artiste à soies rondes n° 4. Laissez sécher la peinture.

4 Trempez le pinceau éventail dans l'eau et posez-le sur un essuie-tout qui absorbera une partie de son humidité. Séparez les poils et regroupez-les en doigts minces. Trempez ¼ po de l'extrémité des poils dans la quatrième couleur, en maintenant les poils séparés. Peignez la surface à petits coups de pinceau d'environ 1 po de long, en appuyant légèrement sur le pinceau.

Comment peindre un grand motif spiral

1 Diluez la première couleur de peinture en mélangeant une partie de peinture à deux parties d'eau. À l'aide d'un pinceau de 3 po, appliquez la peinture sur la surface en donnant des coups de pinceau légèrement courbes, de 7 à 14 po de long. Laissez sécher la peinture.

2 Diluez la deuxième couleur de peinture, en mélangeant une partie de peinture avec une partie d'eau. Trempez un rouleau à texturer dans la peinture versée dans un bac et posez-le sur un essuie-tout qui absorbera une partie de son humidité. Passez le rouleau sur la surface, en recouvrant les coups de pinceau de l'étape 1. Laissez sécher la peinture.

3 Appliquez la troisième couleur de peinture, en coups de pinceau légèrement courbes, de 6 à 12 po de long, à l'aide d'un pinceau d'artiste à soies rondes n° 4. Faites chevaucher ces coups de pinceau et ceux de l'étape 1. Laissez sécher la peinture.

4 Appliquez la quatrième couleur de peinture par paire de petits coups, en utilisant un pinceau d'artiste à soies rondes n° 4. Faites chevaucher les bords des coups de pinceau et ceux de l'étape 1.

Conseils pour la peinture à main levée

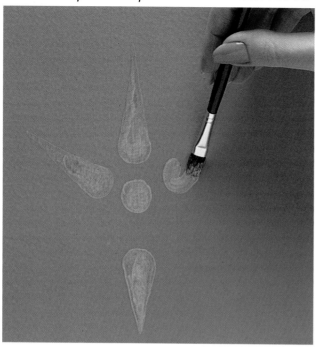

Pour créer des motifs symétriques, commencez par peindre le motif central et peignez ensuite les motifs qui l'entourent ; peignez chaque élément en commençant par son point le plus rapproché du centre et en l'achevant vers l'extérieur.

Utilisez un mètre à ruban et un niveau à bulle pour tracer des lignes de référence horizontales qui aideront à peindre des bordures. Tracez légèrement des lignes au crayon, à intervalles réguliers, pour guider vos coups de pinceau à main levée. Imprimez un mouvement constant, rythmé, au pinceau que vous déplacez tout le long du mur, en le trempant dans la peinture lorsque c'est nécessaire. Achevez les détails du motif lorsque toute la bordure est peinte.

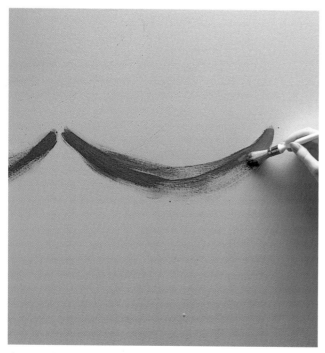

Agencez les grands motifs en traçant légèrement au crayon, sur le mur, aux endroits stratégiques, des lignes qui vous guideront. Commencez par peindre les parties dominantes des motifs pour fixer ceux-ci sur le mur, puis achevez les motifs en peignant les détails.

Pour disposer des motifs au hasard, suivez un plan moins rigoureux, mais pour vous faciliter la tâche, répartissez approximativement les motifs pour qu'ils ne soient pas distribués de façon discordante. Avant de peindre, marquez l'emplacement de chaque motif au moyen d'un petit morceau de ruban-cache et placez-vous à une certaine distance, pour avoir une vue d'ensemble du mur.

Variantes de motifs à main levée

(À droite) Un motif moderne, asymétrique, peint sur le mur souligne audacieusement une fenêtre. De petits motifs, placés au hasard sur le mur, rappellent le motif principal et confèrent une plus grande unité à la pièce.

(Ci-dessous) Une fausse maçonnerie peinte sur le mur, sous l'étagère, ressemble à un foyer avec son manteau de cheminée. Une fausse cimaise à fauteuils qui fait le tour de la pièce attire le regard sur « le foyer » et rend la pièce plus intime.

Motifs à l'éponge

La peinture à l'éponge produit un effet doux, marbré, et elle constitue une des techniques les plus faciles à appliquer. Pour obtenir ce fini, utilisez une éponge de mer naturelle pour tamponner la peinture sur la surface. N'utilisez pas d'éponges en cellulose ou d'éponges synthétiques, car elles ont tendance à laisser des empreintes identiques aux contours trop marqués.

L'effet créé par la peinture à l'éponge dépend du nombre de couleurs de peinture utilisées, de l'ordre dans lequel vous les appliquez et de la distance entre les empreintes de l'éponge. Vous pouvez utiliser, pour la couche de base et pour la peinture à l'éponge, de la peinture au latex semi-brillante, peu brillante ou mate. Ou vous pouvez obtenir un fini translucide en utilisant un glacis constitué de peinture, de conditionneur de peinture et d'eau que vous mélangerez en suivant les instructions données à la page 176.

Pour créer des bandes, des bordures, ou des panneaux, utilisez du ruban-cache de peintre pour masquer certaines parties de la surface après avoir appliqué la première couleur de peinture à l'éponge. Appliquez ensuite une autre couleur sur les parties non masquées.

Pour peindre à l'éponge sur du tissu, utilisez de la peinture pour tissu ou de la peinture acrylique d'artisanat mélangée avec un produit pour textile. Lavez au préalable le tissu pour lui ôter tout apprêt — s'il est lavable — et repassez-le pour éliminer tous les plis. Appliquez la peinture à l'aide d'une éponge de mer, comme à l'étape 2 de la page 176, mais ne la dispersez pas avec une éponge humide. Lorsque le tissu est sec, séchez la peinture à la chaleur, en utilisant un fer à repasser à sec et une patte-mouille.

Comment peindre à l'éponge

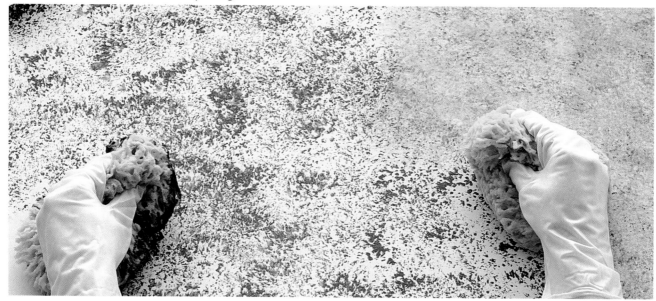

1 Appliquez une couche de base de peinture acrylique ou au latex. Laissez sécher la peinture. Rincez une éponge de mer dans l'eau pour la ramollir et pressez-la pour en extraire presque toute l'eau. Saturez-la de peinture ou de glacis (page 162). À l'aide d'un essuie-tout, ôtez un peu du liquide qu'elle contient. Tamponnez régulièrement la surface. Travaillez rapidement par petites portions de la surface et changez souvent l'éponge de position. Utilisez une éponge de mer humide tenue dans l'autre main pour tamponner immédiatement la peinture qui vient d'être appliquée, comme le montre l'illustration. Ainsi la peinture se dispersera et vous obtiendrez un ton adouci, fondu. L'éponge humide enlève une partie de la peinture.

2 Continuez d'appliquer la première couleur de peinture sur la surface et de tamponner celle-ci avec l'éponge humide. Répétez en utilisant une ou plusieurs autres couleurs de peinture. Laissez chaque fois sécher la peinture entre deux applications.

3 Pour créer un effet plumeté, appliquez la dernière couleur de peinture en imprimant à l'éponge un mouvement léger de balayage au lieu de tamponner la surface.

Outils et matériel

- Pinceau ou rouleau pour la couche de base
- Éponges de mer
- Niveau à bulle
- Crayon
- Règle

- Peintures acryliques d'artisanat ou au latex
- Conditionneur de peinture au latex et eau, pour préparer un glacis
- Ruban-cache de peintre

Glacis à éponger

Mélangez les ingrédients suivants :
- 1 partie de peinture acrylique d'artisanat ou au latex
- 1 partie de conditionneur de peinture au latex
- 1 partie d'eau

Comment peindre à l'éponge des bandes, des bordures, ou des panneaux

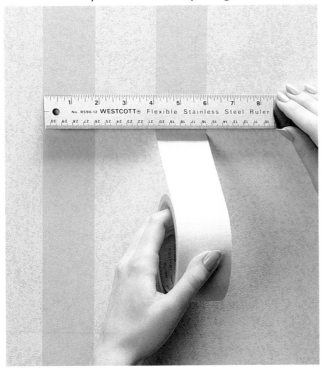

1 Suivez les étapes 1 à 3 de la page 176. Laissez complètement sécher la peinture. À l'aide d'un niveau à bulle et d'un crayon, tracez légèrement une ligne verticale. Placez la première bande de ruban-cache de peintre le long de cette ligne. Au moyen d'une règle, mesurez les distances auxquelles doivent se trouver les autres bandes de ruban-cache pour constituer les bandes, les bordures, ou les panneaux.

2 Appliquez une deuxième couleur de peinture sur les parties non masquées de la surface. Dispersez la peinture ou créez un effet plumeté, au choix. Laissez sécher la peinture. Enlevez soigneusement le ruban-cache.

Variantes de peinture à l'éponge

Pour obtenir un effet harmonieux lorsque vous peignez à l'éponge, utilisez des couleurs voisines, c'est-à-dire soit deux couleurs chaudes, soit deux couleurs froides. Pour obtenir un effet plus audacieux et inattendu, peignez à l'éponge en combinant des couleurs chaudes et froides.

Les couleurs chaudes et froides, comme le jaune et le bleu, se combinent pour produire un effet audacieux, mais la peinture à l'éponge adoucit cet effet.

Un mélange de couleurs froides, telles que le vert et le bleu, dégage une impression de tranquillité.

Un mélange de couleurs chaudes, comme le jaune et l'orange, a un effet stimulant.

Fini terra-cotta

Vous réchaufferez immanquablement l'atmosphère d'une pièce en appliquant un fini terra-cotta sur les murs. On considérait auparavant que ce fini était compliqué et que seul un peintre professionnel spécialisé dans les faux finis pouvait le réaliser. Mais actuellement, avec l'aide d'outils tels que le tampon de laine magique Wagner pour faux finis (*Wagner Faux Magic Wool Pad*), n'importe qui peut aisément créer ce fini. Contrairement à de nombreux autres faux finis, le fini terra-cotta ne nécessite pas de couche de base préalable. À l'aide d'un tampon de laine, appliquez les différentes nuances de peinture sur la surface et mélangez-les. Plus vous les mélangerez, plus le fini sera estompé, fondu. Vous trouverez des nécessaires à faux finis et des tampons de laine chez les détaillants en peinture et dans les maisonneries.

Le fini terra-cotta montré ici a été créé au moyen des trois nuances de peinture au latex suivantes : brun foncé, argile foncé et abricot. La teinte dominante de votre motif dépendra des couleurs que vous choisirez. Pour un fini plus rose, choisissez des couleurs à base de rouge. Si vous préférez un fini avec prédominance de l'orange, choisissez des couleurs à base de jaune. Si vous hésitez sur le choix des couleurs, demandez à votre détaillant en peinture de vous aider à trouver la bonne combinaison.

Comment produire un fini terra-cotta à l'aide d'un tampon de laine

Outils et matériel

- Bac à peinture divisé
- Agitateurs
- Tampon de laine pour peinture
- Outil de laine pour finition
- Peintures au latex brune, argile et abricot
- Glacis pour peinture

1 Versez de la peinture de chaque nuance dans les différentes sections du bac à peinture divisé. Ajoutez ¼ tasse de glacis pour peinture (page 163) à chaque nuance, en mélangeant chaque fois le tout à l'aide d'un agitateur différent. Conditionnez le tampon de laine en mouillant votre main et en la passant sur la laine pour enlever les peluches et assouplir les fibres.

2 Trempez le tampon de laine dans la peinture brune et raclez le tampon le long du bord du bac pour enlever l'excédent de peinture. Travaillez par section de 4 pi x 4 pi et appliquez la peinture en pressant le tampon contre le mur, au hasard. Recouvrez environ 80 % de la surface de chaque section, en laissant quelques endroits à nu.

3 Raclez le tampon pour enlever autant de peinture brune que possible. Il n'est pas nécessaire de nettoyer le tampon avant d'appliquer la peinture suivante.

4 Trempez le tampon de laine dans la peinture argile et raclez l'excédent de peinture. Employez la même technique que lors de l'application de la peinture brune et recouvrez de peinture argile les endroits laissés à nu. Raclez ensuite la peinture argile du tampon, comme vous l'avez fait précédemment.

5 Trempez le tampon de laine dans la peinture abricot et raclez l'excédent de peinture. Utilisez la même technique, en tamponnant la section au hasard, légèrement. Vous constaterez que les peintures commencent à se mélanger. Plus vous appliquerez de la peinture abricot, plus elle se mélangera et plus clair sera le résultat.

6 La section de 4 pi x 4 pi terminée, utilisez un outil de laine à finir les bords pour peindre dans les coins ainsi que les bords de la section. Conditionnez l'outil de laine, comme vous l'avez fait du tampon. Répétez les étapes 2 à 5, appliquez les peintures brune, argile et abricot, en les mélangeant jusqu'à ce qu'elles reproduisent le motif voulu. Lorsque cette section est terminée, passez à la suivante et recommencez toute l'opération.

Variantes de la méthode du tampon de laine

Vous pouvez utiliser votre tampon de laine pour réaliser toutes sortes de finis. Suivez la même méthode que pour le fini terracotta et combinez deux ou plusieurs couleurs pour obtenir le motif désiré. Pour obtenir un fini ton sur ton, vous n'aurez besoin que de deux nuances de la même couleur.

Ton sur ton : choisissez deux nuances – une foncée et une claire – distantes de trois ou quatre degrés sur une bande monochromatique de sélection des peintures. Appliquez d'abord la nuance foncée. En appliquant la technique du tampon au hasard, recouvrez presque toute la surface de la section de 4 pi x 4pi. Appliquez ensuite la nuance claire, en tamponnant le mur jusqu'à ce que les nuances se mélangent pour créer l'effet recherché.

Tons contrastés : combinez deux nuances de la même couleur et une couleur contrastée, pour créer un motif audacieux qui accroche le regard. Appliquez d'abord les nuances de la même couleur, en commençant par la nuance foncée. Puis, appliquez la couleur contrastée, en veillant à ce qu'elle ne se mélange pas trop aux autres. Sinon, les couleurs deviendront troubles et vous raterez l'effet de contraste des nuances.

Nuance métallisée : créez un motif frappant en utilisant le tampon de laine pour appliquer un glacis métallisé sur un fini ton sur ton. Commencez par peindre un fini ton sur ton. Utilisez ensuite un autre tampon, propre, pour tamponner le mur avec un glacis métallisé, suivant un mouvement léger et rapide. Si vous tamponnez exagérément le mur, le glacis se mélangera trop à la peinture et vous raterez l'effet recherché.

Motifs en damier
à l'éponge

Vous obtiendrez un effet spectaculaire en peignant les murs au moyen d'éponges carrées en cellulose. Commencez par fabriquer un tampon applicateur simple, en collant à l'aide d'un pistolet-colleur un morceau d'éponge sur un petit morceau de contreplaqué. Peignez les carrés d'une ou de plusieurs couleurs, en suivant un schéma simple. Vous pouvez ajouter du relief et de la couleur au motif en tamponnant légèrement les carrés avec d'autres couleurs. Pour ce faire, utilisez un tampon carré de la même dimension, ou fabriquez-en un plus petit, de forme différente.

Un motif en damier à rangées uniformes convient particulièrement aux murs dont les coins sont d'équerre et les lignes du plafond, horizontales. Commencez à peindre dans le coin le plus visible de la pièce et progressez à partir de là dans les deux directions. Ainsi, les carrés qui se rencontrent dans ce coin seront entiers. Si tous les coins de la pièce sont cachés, commencez au milieu du mur le plus apparent, de manière à répartir les carrés uniformément sur toute la largeur de ce mur.

Utilisez de la peinture-émail mate ou peu lustrée pour peindre les murs. Si vous tenez à donner au fini des armoires et des meubles une plus grande durabilité, utilisez une peinture-émail lustrée.

Comment peindre à l'éponge un motif en damier

1 Découpez une éponge carrée de la dimension voulue. Découpez un morceau de contreplaqué de la même dimension et collez l'éponge sur le contreplaqué en vous servant d'un pistolet-colleur. Fabriquez un tampon par couleur et par forme de motif.

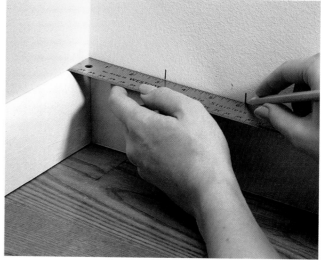

2 Appliquez sur le mur une couche de peinture de base, de la couleur de votre choix, et laissez sécher la peinture. Marquez l'emplacement de la première ligne de carrés au bas du mur, à l'aide d'une règle et d'un crayon. À intervalles réguliers, faites des marques correspondant à la largeur du tampon. Par exemple, avec un tampon carré de 3 po de côté, marquez le mur tous les 3 po.

Outils et matériel

- Pistolet-colleur et bâtons de colle
- Niveau à bulle
- Crayon
- Règles
- Scie

- Peintures au latex
- Grandes éponges en cellulose
- Morceaux non utilisés de contreplaqué de ¼ po d'épaisseur
- Feuilles minces de Mylar, transparentes

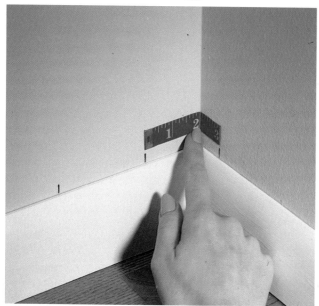

3 Si vous arrivez au bord du mur et que le motif du carré ne s'arrête pas dans le coin, prolongez la mesure sur l'autre mur et marquez les extrémités de la mesure à l'aide d'un trait sur chacun des deux murs. Poursuivez le marquage de pleines largeurs sur le nouveau mur. Pour prendre les mesures plus facilement dans les coins, utilisez un mètre à ruban de toile cirée.

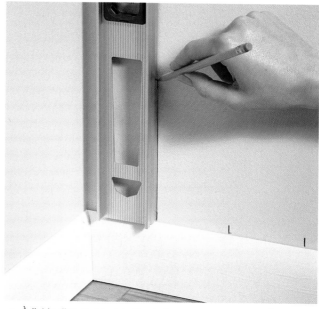

4 À l'aide d'un niveau à bulle et d'un crayon, tracez une ligne verticale au premier trait à partir du coin. Tracez la ligne sur toute la hauteur du mur, en n'appuyant que légèrement sur le crayon pour que la ligne n'apparaisse pas à travers la peinture. Vous pouvez préciser davantage le motif en traçant d'autres lignes verticales distantes de quelques traits.

5 Au moyen d'un pinceau, appliquez de la peinture sur l'éponge. Tamponnez la rangée de carrés inférieure sur le mur.

6 Continuez de tamponner les rangées de carrés, en progressant à partir du bas du mur et en utilisant comme repères la rangée précédente et les lignes verticales. Si, dans les coins et au sommet du mur, le carré n'est pas entier, laissez l'endroit non peint, temporairement.

7 Laissez sécher la peinture. Pour remplir les parties non tamponnées, placez un morceau de Mylar sur les carrés peints, pour protéger le mur. Tamponnez le motif jusque dans les coins ou jusqu'au sommet du mur, en laissant un morceau du tampon recouvrir le Mylar. Laissez sécher la peinture.

8 Pour appliquer une autre couleur sur la première, tamponnez très légèrement les carrés déjà peints.

Motifs imprimés au bloc

L'impression au bloc est une technique au tampon relativement simple, utilisée pour appliquer des motifs répétés sur les murs. La technique consiste à appliquer de la peinture sur un bloc à imprimer, en utilisant un tampon en feutre, saturé de peinture, et en pressant ensuite le bloc contre la surface du mur. Vous pouvez disposer les empreintes du bloc de manière à former une bordure ou un motif déterminé, ou encore les disperser au hasard sur la surface.

Vous trouverez dans le commerce des blocs d'impression de différentes formes et de différentes dimensions. Si vous voulez ajouter une touche décorative personnelle, fabriquez votre propre bloc à imprimer au moyen de mousse plastique à alvéoles fermés, collée sur un bloc de bois. La mousse à alvéoles fermés constitue un excellent matériau pour fabriquer les blocs d'impression parce qu'elle est facile à découper et suffisamment souple pour que les empreintes soient nettes et uniformes, même sur des surfaces murales quelque peu irrégulières.

On fabrique de la mousse à alvéoles fermés de toutes sortes. Vous trouverez de minces feuilles autocollantes dans les magasins d'articles d'art. À l'aide de ciseaux, vous pouvez les découper pour obtenir les formes voulues. Le néoprène, un caoutchouc synthétique qu'on utilise comme isolant est une autre forme de mousse à alvéoles fermés. On l'utilise couramment comme bourrelet de calfeutrage, en bandes autocollantes de ³/₈ po d'épaisseur, mais la largeur des bandes est limitée à ³/₄ po. Pour savoir où trouver des feuilles de néoprène, consultez les pages jaunes sous la rubrique Mousses. Vous pouvez également vous servir d'un vieux tapis de souris d'ordinateur fabriqué en néoprène, à condition que sa surface soit unie.

Utilisez des peintures acryliques d'artiste pour l'impression murale au bloc. Pour préparer le tampon qui couvrira de peinture l'empreinte du bloc, imprégnez de peinture un morceau de feutre. Pour allonger le « temps ouvert » de la peinture et garder le tampon humide assez longtemps, faites un glacis, en mélangeant la peinture avec une petite quantité de produit diluant pour latex. Prenez également le temps de vous exercer en utilisant le bloc d'impression sur du papier avant d'appliquer l'empreinte sur le mur ; vous vous familiariserez ainsi avec l'emplacement de l'empreinte par rapport au bord du bloc.

Comment fabriquer un bloc d'impression

Outils et matériel

- Crayon
- Ciseaux
- Petit pinceau d'artiste ou éponge
- Papier calque
- Bloc de bois
- Mousse à alvéoles fermés
- Papier graphité
- Colle d'artisan
- Ruban-cache ou crayon
- Peintures d'artiste acryliques et diluant pour peinture acrylique
- Feutre
- Plaque de verre ou de plastique acrylique

1 Découpez un morceau de papier calque aux dimensions du bloc de bois et dessinez le motif sur le papier. Indiquez par un repère le dessus du motif, sur le papier et sur le bloc. À l'aide de papier graphité, reproduisez le motif sur le morceau de mousse à alvéoles fermés et ensuite sur le bloc de bois.

2 À l'aide de ciseaux, découpez la mousse le long des lignes du motif. Pelez l'envers en papier et collez les morceaux de mousse sur le bloc, en suivant les lignes du motif. À défaut de mousse autocollante, utilisez de la colle pour fixer les morceaux de mousse sur le bloc.

3 Collez le motif original sur la face arrière du bloc, en veillant à le placer dans le même sens que le motif reproduit sur la face avant.

Comment effectuer une impression au bloc sur un mur

1 Au moyen de ruban-cache ou de lignes légères, tracées au crayon, marquez les emplacements du motif sur le mur. Diluez légèrement la peinture à l'aide d'un diluant pour peinture acrylique, en mélangeant environ trois ou quatre parties de peinture avec une partie de diluant.

2 Découpez un morceau de feutre plus grand que le bloc d'impression et placez-le sur une plaque de verre ou de plastique acrylique. Versez le mélange de peinture et de diluant sur ce tampon de feutre, pour le saturer.

3 Appuyez le bloc d'impression contre le tampon de feutre, de manière que la face du motif en mousse soit uniformément recouverte de peinture.

4 À l'endroit de la marque sur le mur, appuyez le bloc d'impression contre le mur, en appliquant une pression ferme et uniforme sur la face arrière du bloc. Enlevez ensuite le bloc, perpendiculairement au mur.

5 Répétez les étapes 2 et 3 pour chaque empreinte. Versez au besoin un appoint de peinture à la surface du tampon de feutre. Faites les retouches nécessaires à l'aide d'un petit pinceau d'artiste, d'une éponge, ou d'un morceau de mousse.

Motifs imprimés au pochoir

On trouve dans le commerce des pochoirs de différents motifs dont les prix varient généralement en fonction de la complexité du dessin. Mais vous pouvez également les fabriquer vous-même en dessinant les motifs sur des feuilles de Mylar transparentes. Pour harmoniser les motifs au mobilier, adaptez-les au dessin du revêtement mural, du tissu d'ameublement de la pièce ou d'un ouvrage d'art qui la décore. Utilisez une photocopieuse pour agrandir ou rapetisser les motifs à la taille voulue.

La plupart des pochoirs prédécoupés ont une plaque par couleur, et les plaques sont numérotées dans l'ordre de leur utilisation. On peut utiliser une même plaque de pochoir pour appliquer plusieurs couleurs différentes si les espaces entre l'emplacement des différentes couleurs du motif sont suffisamment grands pour être masqués avec du ruban-cache. Lorsque vous peignez au pochoir des motifs de plusieurs couleurs, commencez par peindre la partie du motif la plus étendue, et lorsque vous peignez des bordures au pochoir, peignez d'abord toutes les parties répétitives de la première couleur avant de passer à la couleur suivante.

Avant d'entamer le travail, déterminez soigneusement l'emplacement du motif. Peignez le motif sur du papier et fixez le morceau de papier au mur — avec du ruban-cache — pour décider de sa place définitive. Il faut mettre un soin particulier à préparer les bordures dont les motifs comprennent des répétitions — comme des festons ou des arcs — si l'on veut éviter les motifs partiels. Si vous peignez une bordure au pochoir, son emplacement peut être influencé par la position de certains détails de la pièce, tels que les fenêtres, les portes et les gaines de chauffage. La meilleure solution consiste souvent à commencer à l'endroit le plus visible et à progresser de part et d'autre en s'en éloignant. Si cela s'avère nécessaire, modifiez légèrement l'espace entre les parties des bordures qui se répètent.

Utilisez des pochons raides, de qualité, dont la taille est proportionnée à la surface à pocher. Utilisez un pochon par couleur, ou nettoyez le pinceau soigneusement et laissez-le sécher avant de le réutiliser.

Pour peindre les surfaces dures, telles que les murs et les boiseries, utilisez de la peinture acrylique d'artiste ou de la peinture à pochoir, à base d'huile, liquide ou solide. Vous pouvez peindre au pochoir des surfaces propres, peintes, ou du bois fini. Dans ce dernier cas, après avoir peint toute la surface au pochoir, appliquez-y un produit de finition ou une peinture d'impression transparents.

Pour peindre des tissus au pochoir, utilisez des peintures pour tissus ou mélangez deux parties de peinture acrylique d'artiste avec une partie de produit pour la peinture des textiles. Aucun de ces constituants n'aura pour effet de raidir le tissu. Suivez les instructions du fabricant pour sécher la peinture à la chaleur. Choisissez un tissu qui contient au moins 50 % de coton si vous voulez que la peinture pénètre bien dans le tissu. Évitez les tissus traités avec des produits destinés à les lustrer ou à les protéger, et lavez-les au préalable pour enlever tout apprêt.

Comment fabriquer votre propre motif de pochoir

1 Dessinez le motif sur une feuille de papier. Répétez l'opération si nécessaire, pour que le dessin ait entre 13 et 18 po de longueur, en vous assurant que l'espace entre les motifs répétés est constant. Colorez le motif au moyen de crayons de couleur. Tracez des lignes repères qui vous aideront à placer le motif sur le mur.

2 Placez une feuille de Mylar transparente sur le motif, de manière que les bords de la feuille dépassent d'au moins 1 po des bords du motif et attachez la feuille avec du ruban-cache. À l'aide d'un crayon feutre, tracez les parties qui seront peintes dans la première couleur. Reproduisez les lignes de repère.

3 Tracez les lignes des parties qui seront peintes dans chacune des autres couleurs sur des feuilles de Mylar séparées. Pour vous aider à centrer le motif, dessinez en traits pointillés le contour des parties peintes dans la couleur précédente. Superposez toutes les feuilles de Mylar et vérifiez l'exactitude du dessin. À l'aide d'une règle et d'un couteau d'encadreur, coupez les bords des feuilles de pochoir en laissant une bordure de 1 à 3 po autour du motif.

Outils et matériel

- Papier
- Crayons de couleur
- Feuilles de Mylar transparentes
- Ruban-cache
- Crayon marqueur indélébile à pointe fine
- Surface de coupe, telle qu'un panneau ou une planche à découper autorégénérante
- Couteau d'encadreur
- Règle métallique

4 Séparez les feuilles de Mylar. Au moyen d'un couteau d'encadreur, découpez les parties tracées sur la première feuille. Découpez d'abord les petites parties, puis les plus grandes. Découpez les motifs en tirant le couteau vers vous et en faisant tourner la feuille de Mylar plutôt que le couteau lorsque vous devez changer de direction.

Comment peindre des motifs au pochoir sur des surfaces dures

- Niveau à bulle et crayon
- Pochons
- Pinceau d'artiste
- Pochoir prédécoupé ou fabriqué
- Ruban-cache
- Adhésif en aérosol (facultatif)
- Peintures à l'huile ou acryliques d'artiste, ou peintures à pocher liquides ou en bâtons
- Produit de finition transparent pour bois et pinceau, si vous peignez au pochoir sur du bois
- Assiettes jetables
- Essuie-tout

1 Marquez l'emplacement du pochoir sur la surface à décorer au moyen de ruban-cache, ou tracez une ligne repère, en utilisant un niveau à bulle et un crayon. Placez la feuille de pochoir pour l'application de la première couleur, en alignant la ligne repère sur le ruban-cache ou la ligne tracée au crayon. Attachez la feuille de pochoir en place, à l'aide de ruban-cache ou d'adhésif en aérosol.

Variante de la peinture au pochoir

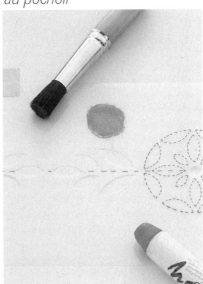

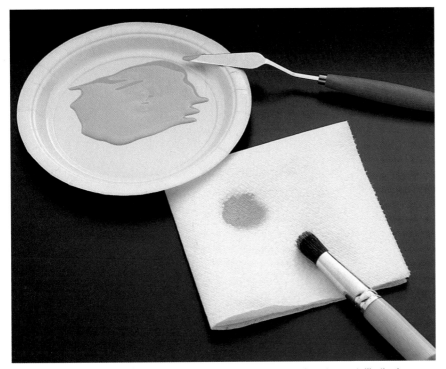

2 Mettez une ou deux cuillers à café de peinture acrylique ou de peinture à l'huile dans une assiette jetable. Trempez le bout du pochon dans la peinture. Tapotez le pochon sur une feuille d'essuie-tout pliée en quatre, en appliquant un mouvement circulaire, jusqu'à ce que les poils du pochon soient presque secs.

Pour peindre un motif au pochoir avec de la peinture solide ou un bâton de peinture, enlevez la couche protectrice qui entoure le bout du crayon, en utilisant un essuie-tout. Sur une partie inutilisée du pochoir, décrivez un cercle de peinture de $1\frac{1}{2}$ po de diamètre avec le crayon. Chargez de peinture un pochon, en le frottant légèrement dans la peinture, suivant un mouvement circulaire, dans un sens, puis dans l'autre.

(Suite à la page suivante)

Comment peindre des motifs au pochoir sur des surfaces dures (suite)

3 Tenez le pochon perpendiculairement à la surface. Appliquez la peinture dans les parties découpées du pochoir, suivant un mouvement circulaire. Remplissez toutes les parties découpées de la première feuille de pochoir et laissez sécher la peinture. Retirez la feuille de pochoir.

4 Attachez la deuxième feuille de pochoir sur la surface, en faisant coïncider les motifs. Appliquez la deuxième peinture dans toutes les parties découpées. Répétez le processus pour les feuilles et les couleurs restantes, jusqu'à ce que vous ayez peint le motif au complet.

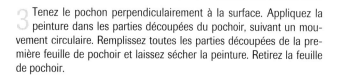

Variante de la peinture au pochoir

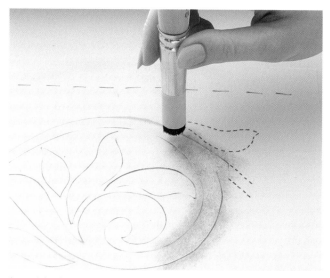

5 Lorsque toutes les peintures sont complètement sèches, faites les retouches nécessaires si la surface présente des défauts ou des taches, en utilisant la peinture de fond et un pinceau d'artiste.

La méthode circulaire de peinture au pochoir donne un fini homogène, tandis que la méthode au pointillé donne une peinture plus foncée, texturée. Pour peindre au pointillé, entourez de ruban-cache les poils d'un pochon, jusqu'à ¼ po de leur extrémité. Tenez le pochon perpendiculairement à la surface et appliquez la peinture en tapotant. On utilise également cette méthode pour peindre au pochoir les tissus.

Techniques pour obtenir des motifs ombrés

Appliquez la peinture dans les parties découpées du pochoir, en recouvrant moins les centres que les bords. Pour donner un effet de patine, de décoloration, remplissez le motif plus fortement à la base qu'au sommet.

Appliquez une couleur complémentaire ou plus foncée pour ombrer les bords extérieurs des parties découpées.

Appliquez la peinture sur les bords extérieurs des parties découpées et laissez-la sécher. Tenez en place un morceau de feuille de Mylar pour couvrir une partie de l'endroit et appliquez de la peinture près du bord de la feuille. Par exemple, si vous voulez peindre les nervures d'une feuille au pochoir, couvrez à l'aide d'un morceau de feuille de Mylar la partie de la feuille qui borde la nervure.

Conseil

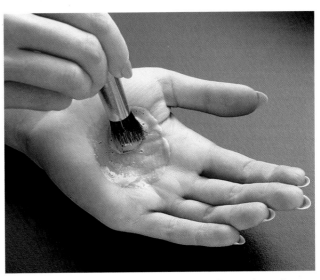

Pour nettoyer les pochons utilisés pour appliquer des peintures acryliques, versez une petite quantité de détergent à vaisselle sur le pochon. Frottez les poils du pochon dans la paume de votre main, d'un mouvement circulaire, jusqu'à ce que toute la peinture ait disparu du pochon. Rincez à l'eau et laissez sécher le pochon. Pour enlever la peinture à l'huile, nettoyez d'abord le pochon avec de l'essence minérale et laissez-le sécher sur un essuie-tout. Lavez ensuite le pochon avec un détergent et rincez-le à l'eau.

Motifs en trompe-l'œil, imprimés au pochoir

*L*es personnes qui ont moins confiance en leurs talents de peintre à main levée ou qui souhaitent simplement tenter une autre expérience peuvent créer un trompe-l'œil au pochoir. On trouve dans le commerce des pochoirs à motifs prédécoupés d'excellente qualité, à multiples calques, qui aident à créer des dessins naturels de taille réelle. Grâce aux techniques d'ombrage et de relief, vous pouvez ajouter de la profondeur et de la perspective, ce qui donne aux dessins au pochoir une dimension réelle.

Et il existe des motifs plus réalistes encore qui ne présentent pas les chevauchements ni les espaces vides des motifs peints à l'aide d'un pochoir bon marché. Les motifs au pochoir de la meilleure qualité portent des marques de repérage précises, garantissant la superposition parfaite des calques successifs. Étant donné le grand choix de pochons, vous pourrez en utiliser un différent pour chaque couleur, dont la taille sera proportionnée aux découpures du pochoir. Vous pouvez réussir des mélanges de couleurs et des effets d'ombrage en utilisant la méthode d'application au pochoir avec des peintures acryliques d'artiste. Pour renforcer les poils du pochon lorsque vous peignez, entourez-les de ruban-cache, jusqu'à ¼ po de leur extrémité.

Peignez le motif en suivant les instructions du fabricant et en adoptant ses suggestions de couleurs, ou choisissez vos propres combinaisons de couleurs. Selon la complexité du motif, vous pouvez appliquer plusieurs couleurs avec chaque calque. Dans chaque découpure, vous pouvez appliquer une couleur de base, suivant un ombrage progressif, puis une autre couleur sur les parties plus foncées qui doivent donner l'impression d'être dans l'ombre. Comme vous le faites avec toutes les méthodes en trompe-l'œil, imaginez une source de lumière, accentuez les parties du motif qui se trouvent à l'avant-plan et dans l'axe direct de la source lumineuse, et ombrez les parties en retrait. Ne remplissez les « ombres » qu'après avoir terminé l'image au pochoir.

Outils et matériel

- Motif au pochoir à multiples calques
- Ruban-cache de peintre
- Pochons
- Assiettes jetables
- Essuie-tout
- Ruban-cache
- Crayon
- Peintures acryliques d'artiste

Comment réaliser un motif en trompe-l'œil au pochoir

1 Placez le premier calque à l'endroit voulu et attachez-le à l'aide de ruban-cache de peintre. À l'aide d'un crayon bien taillé, marquez la surface à travers les trous de repère.

2 Versez une ou deux cuillers à café de peinture dans une assiette. Entourez de ruban-cache les poils d'un pochon, jusqu'à ¼ po de leur extrémité. Trempez l'extrémité du pochon dans la peinture et, d'un mouvement circulaire, tapotez le pochon sur un essuie-tout jusqu'à ce que les poils soient presque secs.

3 Tenez le pochon perpendiculairement à la surface et appliquez la peinture dans la première découpure, en tapotant. Peignez ainsi légèrement et uniformément toute la surface de la découpure.

4 Foncez la couleur aux endroits de la découpure que vous voulez ombrer, en répétant le tapotement. Laissez les zones prétendument éclairées plus pâles.

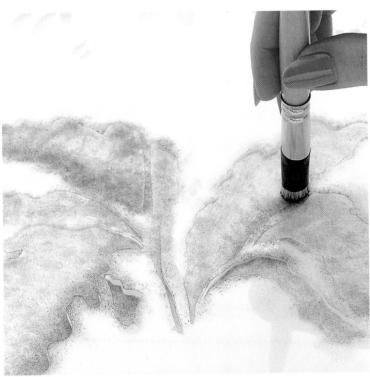

5 Répétez les étapes 3 et 4 pour toutes les découpures qui reçoivent la même couleur. Répétez l'étape 2, en utilisant la couleur d'ombrage et un autre pochon. Ombrez les surfaces des découpures qui doivent donner l'impression d'être à l'ombre.

6 Répétez les étapes 2 à 5 pour toutes les autres couleurs du premier calque et retirez celui-ci.

7 Placez le deuxième calque et centrez-le en vous basant sur les marques de repérage. Attachez-le au moyen de ruban-cache. Répétez les étapes 2 à 6 avec le deuxième calque. Répétez ces opérations avec tous les autres calques, jusqu'à ce que l'image soit terminée.

8 Suivez les instructions de l'étape 2, en utilisant un petit pochon et de la peinture grise ou brune. Appliquez légèrement la peinture, en tapotant, le long des bords de l'image opposés à la source lumineuse imaginaire, pour simuler l'ombre.

Motifs muraux en frottis

Le frottis, dans la peinture de motifs muraux, est une technique simple qui vous permet de créer des motifs géométriques texturés imitant l'apparence des revêtements muraux beaucoup plus coûteux. On l'applique en utilisant un gros pochon pour peindre un mur sur une couche de base, en demi-sec, à l'aide de mouvements circulaires. La peinture en demi-sec n'exigeant que peu de peinture, les petits flacons de peinture acrylique d'artiste sont suffisants pour effectuer le travail. Choisissez deux ou trois couleurs décoratives voisines, ou créez un motif classique et riche en utilisant des peintures métallisées, dorées ou argentées.

Vous pouvez personnaliser le motif géométrique en couvrant un mur entier, comme le montre le motif en losange de la page opposée. Vous pouvez aussi peindre un motif en damier pour rendre une cimaise à fauteuils, un motif triangulaire pour créer une bordure de plafond, ou un motif rayé pour imiter un lambris. Utilisez du ruban-cache de peintre pour masquer les parties qui ne doivent pas être peintes.

Mesurez chaque mur et tracez le motif géométrique sur du papier millimétré afin de déterminer l'échelle du motif et sa disposition. Avant de peindre les murs, exercez-vous à cette technique de peinture sur du carton.

Pour préparer la surface, nettoyez les murs, débarrassez-les de toute trace de saleté et de graisse, et rincez-les à l'eau claire. Si les murs ne sont pas finis, appliquez un apprêt que vous laisserez sécher complètement avant d'y appliquer le ruban-cache.

Outils et matériel

- Règle
- Crayon
- Rouleau à peinture
- Niveau à bulle
- Règle rectifiée
- Couteau à calfeutrer
- Pochon de 1 po de diamètre
- Papier millimétré
- Ruban-cache de peintre
- Peinture au latex, pour la couche de fond
- Peintures au latex ou acryliques d'artiste, pour la peinture au frottis
- Assiettes jetables
- Essuie-tout

Comment réaliser un frottis dans un motif bordé de ruban-cache

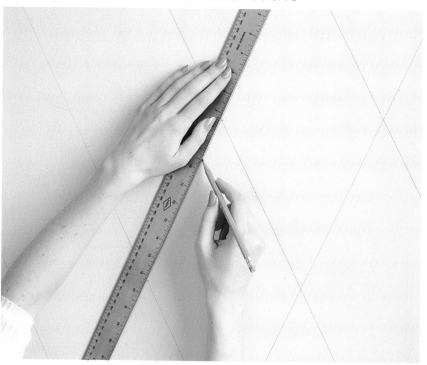

1 Mesurez le mur et tracez le motif sur papier millimétré. Appliquez une couche de fond sur le mur, à l'aide d'un rouleau à peinture.

2 Laissez sécher la peinture. Tracez le motif au crayon, sur le mur, en vous servant d'une règle rectifiée.

3 Marquez les sections qui ne seront pas peintes. Appliquez du ruban-cache de peintre sur les parties marquées, en utilisant un couteau à calfeutrer pour couper le ruban diagonalement dans les coins. Appuyez sur tous les bords du ruban au moyen d'une carte de crédit en plastique ou d'un ongle, afin de sceller parfaitement ces endroits.

4 Versez une petite quantité de chaque peinture dans une assiette jetable. Trempez l'extrémité du pochon dans la première couleur. D'un mouvement circulaire, tapotez le pochon sur un essuie-tout, jusqu'à ce que ses poils soient presque secs.

5 Peignez le mur en imprimant au pochon de vigoureux mouvements, larges et circulaires. Peignez les motifs un à un et changez souvent le sens de rotation du pochon. Débordez sur le ruban-cache. Augmentez l'intensité de la couleur au besoin, mais laissez transparaître la couleur de fond. Utilisez toute la peinture qui recouvre les poils du pochon avant de le recharger.

6 Trempez le pochon dans la deuxième couleur et tapotez-le sur un essuie-tout. Appliquez la peinture au hasard, sur le même motif, en donnant à la couleur différentes intensités d'un endroit à l'autre du motif à peindre. Au besoin, répétez l'opération avec une troisième couleur.

7 Répétez l'opération pour achever de peindre le mur, en recouvrant les motifs un à un et en mêlant les couleurs comme précédemment. Enlevez le ruban-cache lorsque la peinture est sèche.

Finis de plancher teinté

On applique des teintures sur les surfaces de bois non finies des planchers pour donner une couleur au bois. Mais vous pouvez aussi appliquer une teinture sur des planchers déjà teintés ou finis pour créer un effet de peinture lavée. Utilisez une teinture à l'eau qui s'applique facilement, sans laisser de marques de raccords ou de traînées. Avant de teindre le bois, recouvrez-le d'une couche de produit de conditionnement, si le fabricant le conseille : ces produits empêchent les traînées et le soulèvement du grain lorsqu'on utilise des teintures à l'eau. Vous trouverez dans le commerce des teintures imitant les différents tons des bois naturels, mais vous pouvez également appliquer une teinture de couleur plus franche, vert par exemple, pour créer un motif décoratif campagnard, ou blanc pour donner à la pièce un aspect moderne.

Vous pouvez aussi teindre le bois avec une peinture au latex diluée, ce qui produira un effet de peinture lavée. La solution utilisée doit être beaucoup plus pâle que la couleur originale. Utilisez la formule de la page 207 pour préparer cette solution et procédez à quelques essais jusqu'à ce que vous obteniez la couleur désirée. Appliquez la solution dans un endroit dissimulé, un placard par exemple, pour vérifier votre méthode d'application avant de teindre toute la surface du plancher. Protégez le plancher teinté en le scellant au moyen de trois couches de fini transparent satiné, semi-brillant ou brillant. Choisissez un fini autolissant qui ne laisse pas de marques de pinceau.

Outils et matériel

- Gants en caoutchouc
- Pinceau synthétique, applicateur en éponge ou chiffon en coton non ouaté, pour appliquer la teinture
- Applicateur en éponge ou tampon à peindre muni d'un manche, pour appliquer le fini transparent
- Ponceuse à commande mécanique, munie de papier de verre fin
- Agent de conditionnement du bois, facultatif
- Chiffon collant
- Chiffons non ouatés, pour essuyer l'excédent de teinture
- Teinture à l'eau ou peinture au latex de la couleur désirée
- Finis brillants ou satin, tels que les finis acryliques ou les polyuréthanes, pour protéger le plancher teinté

Comment appliquer une teinture de finition sur un plancher de bois neuf

1 Poncez la surface du plancher au moyen d'une ponceuse à papier fin, en déplaçant celle-ci dans le sens du grain. Enlevez la poussière du ponçage avec un aspirateur et essuyez ensuite le plancher à l'aide d'un chiffon collant.

2 Mettez des gants en caoutchouc pour travailler avec la teinture. Brassez soigneusement la teinture ou la solution de peinture diluée. Appliquez la peinture ou la solution sur le plancher, au moyen d'un pinceau synthétique ou d'un applicateur en éponge. Ne recouvrez qu'une petite section à la fois. Gardez l'extrémité du pinceau ou de l'applicateur humide et évitez de faire chevaucher les coups de pinceau.

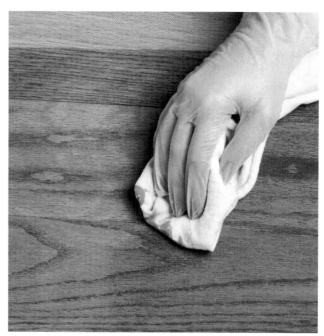

3 Essuyez immédiatement la teinture excédentaire ou, après avoir laissé s'écouler le temps prescrit par le fabricant, utilisez un chiffon non ouaté pour essuyer la surface, d'abord à contresens et ensuite dans le sens du grain. Continuez d'appliquer la teinture et de l'essuyer jusqu'à ce que tout le plancher soit teinté. Laissez sécher la teinture. Poncez légèrement le plancher en utilisant du papier de verre fin et enlevez la poussière de ponçage au moyen d'un chiffon collant. Pour foncer la couleur, appliquez une deuxième couche de teinture et laissez-la sécher complètement.

4 Appliquez une couche de fini brillant sur le plancher teinté, à l'aide d'un applicateur en éponge ou d'un tampon à peindre muni d'un manche. Laissez sécher le fini avant de poncer légèrement le plancher avec du papier de verre fin et d'essuyer la poussière avec un chiffon collant. Appliquez deux couches de fini satin.

Variantes de teinture du bois

Les bois de couleur foncée conviennent bien aux pièces classiques. Revêtus d'une solution de couleur lavée, ils dégagent une impression plus douce.

Solution de couleur lavée pour plancher

Mélangez les constituants suivants :
    1 partie de peinture au latex
    4 parties d'eau

Les bois de tons moyens, chauds, ont un aspect ordinaire. Une couche de solution de couleur lavée blanche leur donne une touche ancienne.

On utilise souvent des teintures pâles neutres dans les pièces modernes. Un couleur lavée bleue leur donnera un nouveau genre, plus audacieux.

Motifs de planchers peints en damier

Vous pouvez donner à un plancher de bois un nouvel aspect ou faire ressortir certains endroits en y peignant des motifs de différents styles. Si le plancher est en mauvais état, on peut parfois camoufler l'usure en peignant un motif qui recouvre toute sa surface, un motif classique en damier, par exemple.

Il est essentiel de bien préparer le plancher si l'on veut obtenir des résultats durables. Si le plancher est déjà fini, poncez légèrement les endroits à peindre ; ainsi, la peinture adhérera mieux au fini. Si le plancher n'est pas fini, scellez-le au moyen d'un fini acrylique ou de polyuréthane pour empêcher la peinture de pénétrer entre les fibres du bois nu et poncez légèrement la surface avant de peindre. Avant de commencer à peindre, assurez-vous qu'il ne reste plus de poussière sur la surface du plancher.

Dessinez le motif sur du papier millimétré et reproduisez-le ensuite sur le plancher. Utilisez du ruban-cache de peintre pour masquer les lignes du damier. Après avoir peint le motif, appliquez plusieurs couches de fini transparent sur tout le plancher.

Outils et matériel

- Ponceuse à commande mécanique et papier de verre fin
- Pinceaux
- Mètre à ruban
- Règle rectifiée
- Crayon
- Rouleau à peindre, ou tampon à peindre muni d'un manche, pour appliquer le fini transparent

- Papier millimétré
- Chiffon collant
- Ruban-cache de peintre
- Peinture au latex des deux couleurs choisies
- Finis brillants et satinés, tels que finis acryliques ou à l'uréthane

Comment peindre un motif en damier sur un plancher complet

1 Si le plancher de bois est teinté et scellé, poncez légèrement le fini pour le rendre moins brillant, au moyen d'une ponceuse à commande mécanique munie de papier de verre fin : cela augmentera l'adhérence de la peinture. Passez tout le plancher à l'aspirateur et essuyez-le ensuite avec un chiffon collant pour enlever la poussière provenant du ponçage.

2 Masquez les plinthes avec du ruban-cache de peintre. Peignez tout le plancher dans la plus claire des deux couleurs du motif. Laissez complètement sécher la peinture.

3 Prenez les mesures du plancher et déterminez la dimension des carrés de damier que vous utiliserez. Arrangez-vous pour que les parties les plus visibles du plancher – l'entrée principale, par exemple – soient recouvertes de carrés entiers. Placez les carrés incomplets le long des murs, dans les endroits moins visibles. Tracez les carrés sur le plancher, à l'aide d'un crayon et d'une règle rectifiée.

4 À l'aide de ruban-cache de peintre, masquez les carrés qui resteront dans la couleur claire. Appuyez fermement sur les bords du ruban, en utilisant une carte de crédit en plastique ou un ongle, pour que le joint soit parfaitement étanche.

5 Peignez les autres carrés dans la couleur plus foncée. Peignez de petites surfaces à la fois et enlevez le ruban-cache des carrés peints avant que la peinture ne soit complètement sèche.

6 Après avoir laissé sécher complètement la peinture, appliquez une couche de fini transparent brillant, au moyen d'un rouleau ou d'un tampon muni d'un manche. Laissez sécher le fini et poncez-le ensuite légèrement avec du papier de verre fin, puis essuyez le plancher avec un chiffon collant. Appliquez deux couches de fini transparent satin.

Finis de plancher d'aspect vieilli et abîmé

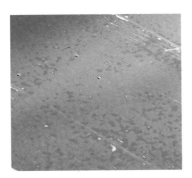

Les finis de planchers d'aspect vieilli donnent l'illusion d'un plancher usé par le temps et conviennent bien aux intérieurs rustiques ou conviviaux. Ces finis sont durables malgré leur apparente fragilité et leur aspect usé.

Les finis d'aspect vieilli conviennent particulièrement aux planchers qui ont déjà été peints ou teintés, mais on peut également en recouvrir les planchers neufs ou refaits. On peut appliquer jusqu'à trois couches de peinture de couleurs différentes sur le plancher. En ponçant ensuite le plancher, on peut faire transparaître plus ou moins les différentes couleurs et créer ainsi l'illusion d'un plancher qui a été peint de plusieurs couleurs au fil du temps. On peut accentuer l'aspect usé en donnant des coups de marteau, de ciseau ou de chaîne dans le plancher. On appliquera deux couches de fini transparent pour protéger les marques d'usure ou de détérioration.

Lorsque le plancher a déjà été peint ou teinté, le fini existant peut servir de couche de fond. En ponçant le plancher, on révélera des zones de bois teinté sous la peinture. Pour obtenir le même effet sur un plancher de bois neuf ou refait, il faut commencer par teinter le bois (voir les étapes 4 à 6, à la page 206) et il ne faut pas appliquer de fini satin.

Choisissez des couleurs qui s'harmonisent avec la combinaison de couleurs que vous désirez obtenir dans la pièce. La couleur de la couche supérieure prédominera tandis que les couleurs des sous-couches apparaîtront par endroits à la surface du plancher fini. Vous obtiendrez les meilleurs résultats en choisissant des tons contrastés pour les différentes couches de peinture.

Outils et matériel

- Rouleau à peinture
- Ponceuse à commande mécanique, papier de verre moyen et fin
- Marteau, ciseau, chaîne et alène, pour abîmer le bois

- Peintures-émail au latex
- Fini transparent satin
- Chiffon collant

Conseils pour préparer et peindre un plancher de bois

- Appliquez un apprêt opaque dans les trous de nœuds que présente la surface neuve ou refaite du plancher. Ce produit scelle le bois et empêche le jaunissement de la peinture.
- Appliquez un produit de scellement acrylique sur la surface neuve ou refaite du plancher, pour éviter que la peinture ne pénètre entre les fibres du bois nu.
- Nettoyez les planchers déjà peints, en utilisant une solution de phosphate trisodique qui enlèvera toute trace de cire, de graisse ou d'huile. Rincez le plancher à l'eau claire et laissez-le sécher.

- Poncez le plancher fini dans le sens du grain, en utilisant du papier de verre fin. Passez le plancher à l'aspirateur, puis essuyez la poussière qui reste avec un chiffon collant.
- Appliquez deux ou trois couches de peinture-émail au latex pour planchers, au moyen d'un rouleau, d'un pinceau ou d'un applicateur en éponge. Laissez complètement sécher la peinture entre les différentes couches. Poncez légèrement le plancher entre chaque couche, à l'aide de papier de verre fin. Essuyez le plancher avec un chiffon collant avant de commencer à peindre.

Comment donner à un plancher de bois un aspect vieilli et abîmé

Lorsque vous abîmez volontairement le plancher, votre but est de lui donner un aspect vieilli et usé, mais vous ne devez pas pour autant le laisser sans protection. L'humidité pourrait détériorer les lames du plancher et endommager ses supports. Une fois que vous avez obtenu l'effet recherché, appliquez deux couches de fini transparent satin sur l'ensemble du plancher, à l'aide d'un rouleau ou d'un tampon muni d'un manche. Poncez légèrement le plancher entre les couches et essuyez la poussière qui reste avec un chiffon collant.

1 Suivez les conseils ci-dessus pour appliquer un fini sur une couche de fond de peinture. Si la couche de fond est une couche de teinture, suivez les étapes 4 à 6 de la page 206, mais sans appliquer de fini satin à la fin de l'opération. Appliquez deux ou trois couches de peinture-émail, en utilisant une couleur différente pour chaque couche.

2 Poncez la surface du plancher à l'aide de papier de verre moyen, en insistant davantage à certains endroits, pour enlever la dernière et l'avant-dernière couches de peinture. Évitez de poncer au-delà de la couche de base de peinture ou de teinture.

3 Si vous désirez abîmer davantage le plancher, utilisez la tête d'un marteau ou une chaîne pour obtenir l'effet recherché. Entamez les planches avec un ciseau, ou faites des trous au hasard, avec une alène. Créez toutes les imperfections que vous voulez, puis poncez légèrement tout le plancher.

Variantes des effets de couleurs

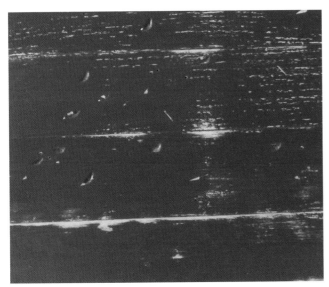

Ici, on a appliqué deux couches de peinture verte sur un plancher qui avait été teinté. Le ponçage laisse apparaître la teinture par endroits. Pour accentuer la détérioration du plancher, on a utilisé un marteau, un ciseau et une alène.

Ce fini est le résultat obtenu en recouvrant d'une couche de fond marron suivie d'une couche de peinture rose un plancher qui avait auparavant été teinté. Le ponçage a mis au jour les trois couches.

Finis striés et peignés

Vous obtiendrez des finis striés ou peignés en utilisant des techniques semblables qui consistent à traîner un outil sur une couche de glacis humide pour faire apparaître une couleur de fond de couleur différente. Le résultat donne un motif linéaire texturé, qui ressemble à du tissu et qui peut être fait de lignes verticales, de courbes, de spirales, de zigzags ou de vagues. Dans les deux cas, on part d'une couche de fond de peinture mate au latex, sur laquelle on applique une couche de glacis au latex ou acrylique. La différence entre les finis obtenus dépend des outils utilisés pour créer le motif.

On crée un effet strié en utilisant un pinceau sec, à poils naturels, qui laisse de fines traînées irrégulières et un intéressant mélange de couleurs. Pour obtenir un fini peigné, on peut utiliser toutes sortes d'outils spéciaux et créer toute une gamme de motifs. On peut également obtenir une variante du fini peigné en utilisant un glacis plus épais, qui donne une impression d'opacité et accentue les lignes et la texture.

Le glacis doit être humide lorsqu'on le brosse ou qu'on le peigne, et le temps joue donc un rôle important dans les deux cas. Si vous peignez de grandes surfaces, demandez à quelqu'un de vous aider. Dès que la première personne a appliqué le glacis, l'autre le brosse ou le peigne avant que le glacis ne sèche. Si vous travaillez seul, limitez-vous à peindre une petite section à la fois. Pour obtenir les meilleurs résultats, exercez-vous à appliquer différentes épaisseurs de glacis sur du carton, avant de peindre le mur.

Outils et matériel

- Rouleau de peintre ou pinceau à poils naturels
- Large pinceau à poils naturels
- Pinceaux à poils naturels souples
- Outil à peigner
- Peinture-émail au latex, mate, pour la couche de fond
- Peinture au latex de la couleur et du lustre désirés, pour le glacis
- Produit de conditionnement pour latex, comme le Floetrol
- Chiffons

GLACIS DE FOND
Mélangez les constituants suivants :
   1 partie de peinture d'artiste, au latex ou acrylique
   1 partie de produit de conditionnement pour peinture au latex
   1 partie d'eau

GLACIS ÉPAISSI
Mélangez les constituants suivants :
   2 parties de peinture d'artiste, au latex ou acrylique
   1 partie d'épaississeur pour peinture acrylique (qu'on peut également utiliser avec les peintures au latex)

Comment procéder pour obtenir un fini strié

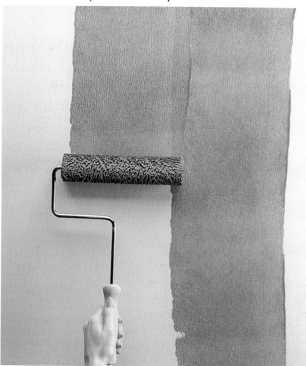

1 Appliquez une couche de fond de peinture-émail au latex, mate, et laissez-la sécher. Mélangez le glacis (page 217). Appliquez le glacis sur la couche de fond, en sections verticales de 18 po de large, en utilisant un rouleau ou un pinceau à poils naturels.

2 Traînez le pinceau à poils naturels dans le glacis, dès que le glacis a été appliqué ; travaillez de haut en bas et n'interrompez pas les coups de pinceau. Pour que les poils restent rigides, tenez-les près de la surface, le manche du pinceau incliné vers vous. Répétez l'opération jusqu'à ce que vous ayez obtenu l'effet voulu.

3 Frottez de temps en temps le pinceau sur un chiffon propre et sec, pour enlever l'excédent de glacis et permettre au pinceau de produire l'effet strié. Ou, rincez le pinceau à l'eau claire et essuyez-le pour le sécher.

4 Vous pouvez adoucir l'effet des stries en brossant légèrement la surface à l'aide d'un pinceau lorsque le glacis sèche depuis environ 5 minutes. Utilisez un pinceau à poils naturels et donnez les coups de pinceaux dans le même sens que les stries.

Techniques pour obtenir un fini peigné

Les outils à peigner comprennent l'outil Wagner à pointiller et à peigner (et l'accessoire pour faire les bords), des peignes en métal ou en caoutchouc, et un racloir à encoches en caoutchouc. Vous pouvez également fabriquer vos propres outils à peigner en pratiquant des encoches dans une gomme d'artiste ou en découpant des encoches en V dans un morceau de carton.

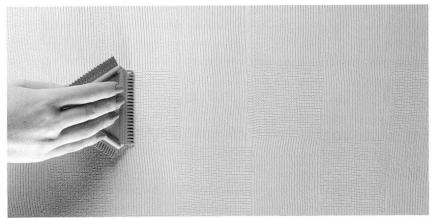

Vous pouvez créer un motif exclusif en vous servant d'un peigne en caoutchouc. Après chaque passe, essuyez l'outil avec un chiffon pour empêcher l'accumulation de glacis sur le peigne, ce qui l'empêcherait de creuser des lignes.

L'outil Wagner à pointiller et à peigner permet de réaliser différents motifs peignés. Vous imiterez la texture du denim si vous passez l'outil, verticalement puis horizontalement dans le glacis.

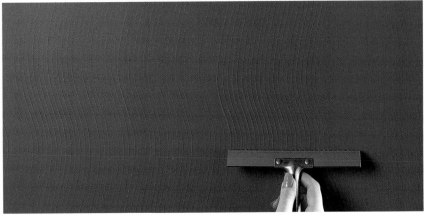

Utilisez un racloir en caoutchouc pour tracer des lignes courbes, formant des spirales ou des vagues. Essuyez fréquemment le racloir pour ôter l'excédent de glacis, afin que les lignes demeurent nettes.

Finis en faux moiré

Vous pouvez imiter l'aspect moiré de la soie en utilisant un tampon conçu pour imiter le veinage du bois (voir page 160). Il suffit, pour créer l'effet recherché, d'appliquer une couche de glacis sur une couche de fond de peinture et de faire glisser le tampon à veinage sur la couche de glacis, en le basculant. Vous pouvez ensuite imiter le fil transversal du tissu moiré en passant un pinceau sec à travers le motif, transversalement. Ce fini ton sur ton spectaculaire est particulièrement recommandé pour décorer de petits espaces comme les surfaces comprises en dessous d'une cimaise à fauteuils ou entre des moulures d'encadrement.

On imite le lustre brillant des tissus moirés en utilisant une couche de peinture-émail au latex foncée, peu brillante, pour la couche de fond, et une couleur plus claire pour le glacis de la couche supérieure. On peut utiliser la même peinture pour les deux couches à condition de pâlir la peinture de la couche supérieure en y ajoutant de la peinture blanche.

Le glacis utilisé pour le faux moiré contient plus de peinture que la plupart des glacis, ce qui le rend plus épais et plus opaque. Appliquez le glacis par petites sections, pour vous donner le temps d'achever le veinage avant que le glacis ne sèche. Si vous finissez une bordure ou une surface murale située sous une cimaise à fauteuils, travaillez en descendant de la cimaise vers la plinthe, par sections de 12 po de large.

Outils et matériel

- Tampon de grainage basculant
- Rouleau de peintre ou pinceau, pour appliquer la couche de fond et le glacis
- Pinceau à poils naturels, de 2 à 3 po de large, pour le brossage à sec
- Peinture-émail au latex, peu brillante, de couleur foncée, pour la couche de fond
- Peinture-émail au latex, peu brillante, de couleur plus claire, pour le glacis, ou peinture blanche, pour pâlir la couleur de fond
- Produit de conditionnement pour peinture au latex
- Chiffons

Glacis pour faux moiré

Mélangez les constituants suivants :

2 parties de peinture-émail au latex, semi-brillante
1 partie de produit de conditionnement pour peinture au latex
1 partie d'eau

1 Appliquez la couche de fond de peinture-émail au latex, peu brillante, au moyen d'un rouleau de peintre ou d'un pinceau, et laissez sécher la peinture.

2 Mélangez le glacis pour la couche supérieure. En effectuant un mouvement vertical, appliquez une couche uniforme de glacis sur la couche de base, au rouleau ou au pinceau. Progressez par petites sections pour vous assurer que la peinture reste humide tant que vous la travaillez.

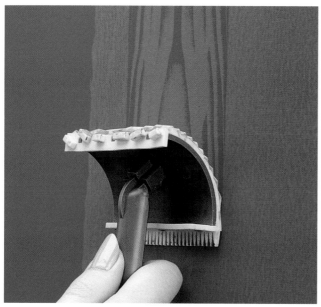

3 Faites glisser verticalement le tampon de grainage, sur la couche de glacis, en le faisant basculer lentement d'un côté à l'autre, de temps en temps, pour créer un faux moiré. Commencez dans un coin et progressez d'un mouvement continu, en glissant et en faisant basculer l'outil de haut en bas. La combinaison du glissement et du basculement laisse des marques ovales allongées.

4 Répétez l'étape 3 pour les sections verticales suivantes. Écartez les marques ovales les unes des autres pour donner l'impression qu'elles sont éparpillées, et travaillez rapidement pour que le glacis n'ait pas le temps de sécher. Le cas échéant, essuyez l'excédent de glacis de l'outil avec un chiffon sec.

5 Lorsque le glacis est presque sec, donnez, à l'aide d'un pinceau sec à poils naturels, des coups de pinceau horizontaux à travers la surface ; vous imiterez ainsi les fibres transversales du tissu moiré.

Le cas échéant, essuyez l'excédent de glacis du pinceau. Laissez sécher la peinture.

Motifs texturés

Vous pouvez réaliser des finis texturés dans une couche de glacis en utilisant toutes sortes d'articles ménagers et d'articles de peinture. Les morceaux de carton ondulé enroulé ou plié, l'étamine, le papier froissé, le raphia, la pellicule plastique d'emballage et la ficelle permettent tous de créer des motifs texturés intéressants. La liste des articles susceptibles de créer des effets n'a pour limites que celles de votre imagination.

Vous obtiendrez ces finis en utilisant le glacis à texture décrit à la page 226 et en appliquant les instructions qui figurent à la même page. Après avoir posé une couche de glacis sur une section de 4 pi x 4 pi, vous pouvez soit la travailler, soit en enlever des fragments en la tapotant avec un ou plusieurs des articles que vous avez choisis. Ou vous pouvez appliquer l'autre méthode qui consiste à enduire de glacis les articles choisis et à laisser des empreintes sur une surface de 4 pi x 4 pi à la fois. Pour vous familiariser avec ces méthodes et sélectionner les effets que vous préférez, faites des essais en utilisant les deux techniques et différents articles.

Avant d'appliquer le glacis, appliquez une couche de fond de peinture-émail au latex de bonne qualité, peu brillante. La couche de fond et le glacis peuvent être de couleurs contrastantes, comme le vert émeraude et le blanc. Pour créer une impression plus subtile, essayez l'effet ton sur ton, deux nuances de bleu, par exemple, ou choisissez des couleurs d'intensités voisines, comme le rouge vif et le violet intense. Vous pouvez explorer encore d'autres possibilités, en répétant le processus, c'est-à-dire en utilisant une ou plusieurs couleurs de glacis supplémentaires. Vous multiplierez ainsi les effets, ce qui est particulièrement indiqué pour les accessoires.

Outils et matériel

- Rouleau de peintre ou pinceau
- Articles destinés à créer un effet texturé
- Applicateur en éponge
- Peinture-émail au latex, peu brillante, pour la couche de fond
- Peinture au latex ou peinture acrylique d'artiste, du lustre désiré, pour le glacis
- Produit de conditionnement pour peinture au latex

Comment créer un motif texturé avec du carton

Glacis pour motif texture

Mélangez les constituants suivants :
1 partie de peinture au latex ou de peinture acrylique d'artiste
1 partie de produit de condition- nement pour peinture au latex
1 partie d'eau

Enroulez un morceau de carton ondulé et serrez-le avec du ruban-cache. Utilisez l'ex- trémité ondulée pour imprimer un motif dans une couche de glacis humide.

Ou enduisez directement le carton de glacis, à l'aide d'un applicateur en éponge. Tapotez le carton sur un essuie-tout et imprimez les motifs sur la surface.

Fabriquez un bloc d'empreinte en utilisant du carton ondulé d'un côté et plane de l'autre ; collez la face plane sur de la mousse rigide ou sur un bloc de bois, de sorte que les ondulations se trouvent à l'extérieur. Créez le motif en enfonçant le bloc dans la couche de glacis humide.

Pour inverser l'effet de couleur, enduisez de glacis la face ondulée du bloc, tapotez le bloc sur un essuie-tout et imprimez le motif sur la sur- face.

Comment créer un motif texturé avec de l'étamine

Pliez un morceau d'étamine de manière à former un tampon plat que vous appuierez sur la couche de glacis humide. Pour imprimer la maille du tissu, soulevez le tampon sans frotter la surface.

Vous obtiendrez une définition plus prononcée de la maille du tissu si, à l'aide d'un applicateur en éponge, vous enduisez directement de glacis le morceau d'étamine et que vous appuyez ensuite celui-ci sur la surface.

Comment créer un motif texturé avec du papier

Froissez un morceau de papier et appuyez-le contre une couche de glacis humide. Faites des essais avec d'autres types de papier en les froissant de différentes façons.

Ou, à l'aide d'un applicateur en éponge, enduisez le papier de glacis et appuyez-le sur la surface, après l'avoir tourné et froissé de différentes façons pour obtenir une texture variée.

Comment créer un motif texturé avec une pellicule plastique d'emballage

Chiffonnez légèrement la pellicule plastique et placez-la contre la couche de glacis humide. Appuyez-la légèrement, puis détachez la feuille de la surface.

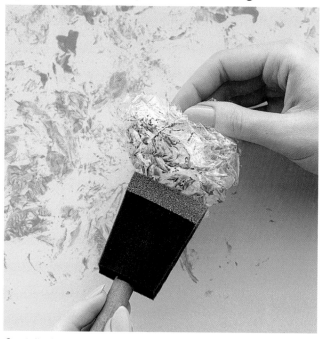

Ou, à l'aide d'un applicateur en éponge, enduisez directement de glacis la pellicule plastique. Appuyez-la sur la surface, après l'avoir pliée et chiffonnée pour obtenir une texture variée ; détachez-la ensuite de la surface.

Comment créer un motif texturé avec une brosse éventail

À l'aide d'une brosse éventail, faites des rangées uniformes d'empreintes en forme d'éventail. Appuyez la brosse sur la couche de glacis, puis nettoyez ou tapotez les poils de la brosse si nécessaire.

L'effet sera différent si vous utilisez une brosse éventail pour appliquer le glacis sur la surface. Les empreintes seront d'autant plus légères et plus fines que la brosse sera sèche.

Comment créer un motif texturé avec du tissu

Pliez en accordéon une bande étroite de jute ou de tout autre tissu à larges mailles, pour en faire un tampon épais. À l'aide d'un applicateur en éponge, enduisez de glacis la face supérieure du tampon. Appuyez le tampon sur la surface. Lorsque la face utilisée est saturée repliez-la vers l'arrière du tampon pour exposer une nouvelle face et continuez l'opération.

Pour créer un motif différent, chiffonnez un morceau de tissu à larges mailles en formant des plis lâches et irréguliers. Appliquez le glacis à l'aide d'un applicateur en éponge et appuyez le tissu sur la surface. Lorsque le tissu est saturé, dépliez le morceau de tissu et froissez-le différemment, ou utilisez un nouveau morceau de tissu.

Comment créer un motif texturé avec de la ficelle

Pour créer un motif texturé différent, utilisez de la ficelle en bobine ou en pelote. À l'aide d'un applicateur en éponge, enduisez la ficelle de glacis et faites rouler la bobine ou la pelote sur la surface. Déroulez la bobine ou la pelote lorsque la ficelle devient saturée, pour exposer de la ficelle intacte, et recommencez l'opération.

Vous obtiendrez un motif de forme plus irrégulière si vous enroulez la ficelle de manière à former une boule difforme. Enduisez la ficelle de glacis, puis appuyez la boule sur la surface ou faites-la rouler dessus.

Motifs roulés au chiffon

La technique des motifs roulés au chiffon donne aux surfaces peintes un aspect texturé, riche, et donne l'impression que toute la surface est marbrée. Elle est tout indiquée lorsqu'il faut peindre des murs ou d'autres surfaces planes tels que les dessus et les tiroirs des vaisseliers, les étagères, les serre-livres et les portes. Vous trouverez à la page 232 la composition du glacis à utiliser pour créer des motifs roulés au chiffon ; vous appliquerez l'une des deux techniques possibles de motifs roulés au chiffon : par application ou par enlèvement du glacis.

Dans la technique par application, on sature un chiffon de glacis, on le tord, on l'enroule sur lui-même et on le roule sur la surface, revêtue au préalable d'une couche de fond de peinture-émail au latex peu brillante. Si vous voulez créer un effet audacieux, vous n'appliquerez qu'une seule couche de glacis par roulement, mais vous pouvez également donner à la surface un aspect plus nuancé, plus dense, en appliquant deux ou plusieurs couches de glacis.

Dans la technique par enlèvement, on pose, à l'aide d'un rouleau ou d'un pinceau, une couche de glacis sur une couche de fond. On prend ensuite un chiffon enroulé sur lui-même qu'on roule sur la surface, pour enlever une partie du glacis, ce qui laisse transparaître la couche de fond. On peut répéter le processus dans le but d'obtenir un effet plus dense, mais il faut agir rapidement, avant que le glacis ne sèche.

Si vous utilisez la technique par enlèvement sur de grandes surfaces comme les murs, faites-vous aider par quelqu'un. Dès qu'une personne a commencé à poser du glacis, l'autre peut passer le chiffon enroulé et enlever une partie du glacis avant qu'il ne sèche. Il n'est pas nécessaire de terminer toute la pièce en une séance, mais il est important d'achever le mur que vous avez commencé à peindre.

Quelle que soit la méthode utilisée, essayez la technique et les couleurs choisies sur un grand morceau de carton avant d'entreprendre les travaux. On utilise généralement une couleur claire pour la couche de fond et une couleur plus foncée pour le glacis.

N'hésitez pas à tenter de nouvelles expériences lors de vos essais, en appliquant au chiffon, sur la couche de fond, deux glacis de couleur différente, par exemple. Vous pouvez aussi masquer une zone, le long d'une bordure par exemple, et créer ensuite dans la zone bordée de ruban-cache un motif roulé au chiffon, en utilisant une deuxième ou une troisième couleur.

Le travail au glacis étant généralement salissant, entourez la zone à peindre de large ruban-cache de peintre et protégez les surfaces environnantes à l'aide de toiles de peintre. Portez de vieux vêtements et des gants en caoutchouc, et gardez une serviette à portée pour vous essuyer les mains après avoir tordu les chiffons.

Comment créer un fini roulé au chiffon en utilisant la méthode par application de glacis

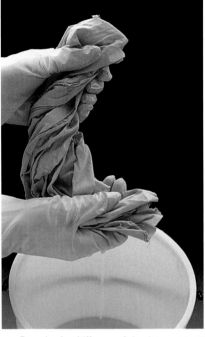

Outils et matériel

- Pinceau ou rouleau à peinture
- Seau à peinture
- Bac à peinture
- Ruban-cache de peintre
- Peinture-émail au latex, peu brillante, pour la couche de fond
- Peinture au latex ou peinture d'artiste acrylique, pour le glacis
- Produit de conditionnement pour peinture au latex
- Gants en caoutchouc
- Chiffons non ouatés, d'environ 24 po x 24 po
- Serviette

Glacis pour motifs roulés au chiffon

Mélanger les constituants suivants :
1 partie de peinture au latex ou de peinture d'artiste acrylique
1 partie de produit de conditionnement pour peinture au latex
1 partie d'eau

1 À l'aide d'un pinceau ou d'un rouleau à peinture, appliquez une couche de fond de peinture-émail au latex peu brillante. Laissez sécher la peinture. Dans un seau, mélangez les constituants du glacis. Trempez un chiffon non ouaté dans le glacis, saturez le chiffon et tordez-le ensuite soigneusement. Essuyez l'excédent de glacis de vos mains à l'aide d'une vieille serviette.

2 Enroulez le chiffon sur lui-même, comme pour le tordre, et pliez-le ensuite pour que sa longueur soit égale à la largeur de vos deux mains.

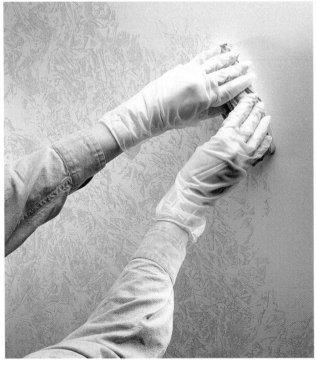

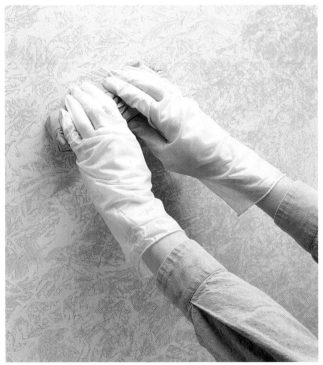

3 Faites rouler le chiffon sur la surface, en le déplaçant vers le haut, suivant différents angles d'inclinaison. Si nécessaire, trempez de nouveau le chiffon dans le glacis et tordez-le.

4 Répétez l'opération si vous désirez un motif plus dense.

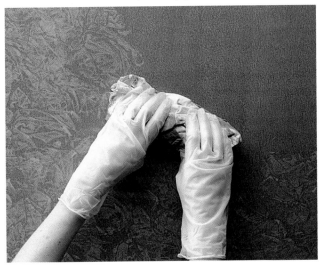

1 À l'aide d'un pinceau ou d'un rouleau à peinture, appliquez une couche de fond de peinture-émail au latex, peu brillante. Laissez sécher la peinture. Préparez le glacis (page opposée) et versez-le dans un bac à peinture. À l'aide d'un rouleau à peinture ou d'un tampon à peinture, appliquez une couche de glacis sur la couche de fond.

2 Enroulez un chiffon non ouaté comme pour le tordre et pliez-le ensuite pour que sa longueur soit égale à la largeur de vos deux mains. Faites rouler le chiffon sur la couche de glacis, en le déplaçant vers le haut, suivant différents angles d'inclinaison.

Variantes des motifs roulés au chiffon

Comme le montrent les exemples ci-dessous, la méthode par application ne modifie pas la couleur de la couche de fond, contrairement à la méthode par enlèvement, qui change la couleur de la couche de fond parce que le glacis a été appliqué sur toute la surface.

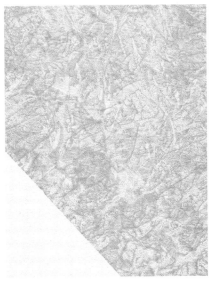

Ici, on a utilisé la méthode par application, avec un glacis couleur aigue-marine sur une couche de fond blanche. La couche de fond blanche reste intacte.

Dans ce cas-ci, on a utilisé la méthode par enlèvement et on a ôté une partie du glacis aigue-marine de la couche de fond blanche. Comme la couche de fond était couverte de glacis, les parties claires sont d'une couleur aigue-marine claire et pas blanches.

Ici, on a utilisé les deux méthodes. On a d'abord appliqué un glacis couleur taupe sur une couche de fond blanche et on a ensuite enlevé du glacis couleur rouille, ce qui a changé la couleur blanche de base qui est devenue rouille clair.

Finis de deux tons mélangés

Une des méthodes les plus faciles à utiliser pour changer l'aspect d'une pièce terne consiste à peindre les murs dans un fini de deux tons mélangés. Vous pouvez appliquer simultanément deux nuances de peinture en utilisant un rouleau double dont les manchons sont garnis de motifs en relief, et donner ainsi aux murs un aspect de faux-fini moutonné. En combinant des couleurs ton sur ton, vous pouvez créer un motif délicat qui donne une impression de couleurs délavées. Pour obtenir un effet plus audacieux, vous utiliserez des couleurs voisines sur le cercle chromatique, comme l'orange et le jaune.

Vous trouverez des rouleaux à motifs en relief et des rouleaux doubles chez les marchands de peinture et de revêtements muraux ou dans les maisonneries. Pour ce projet, nous avons choisi la trousse Wall Magic de Wagner, qui contient un rouleau double, un bac à peinture divisé en deux, deux rouleaux à motifs en relief et des outils de finition à motifs en relief pour peindre dans les coins et autour des moulures.

Tenez compte des couleurs de vos meubles et de vos planchers lorsque vous choisissez vos peintures. Choisissez une combinaison de couleurs qui s'harmonise avec le reste de la décoration de la pièce. La manière la plus facile de sélectionner les couleurs, c'est de prendre les bandes de couleurs monochromatiques que l'on trouve chez les détaillants de peinture. Trouvez une bande dont les couleurs s'harmonisent avec la décoration de la pièce et choisissez sur la bande monochromatique des couleurs qui sont séparées par deux nuances au moins. Choisissez des nuances plus rapprochées si vous désirez un motif fondu et des couleurs plus éloignées si vous désirez un motif plus contrasté. Vous pouvez aussi ne choisir qu'une couleur et un ton neutre comme l'ivoire ou le blanc, ce qui créera un motif doux, discret.

Ajoutez un élément de décoration en utilisant un rouleau à rechampir de Wagner pour créer une bordure ou un motif linéaire superposé au fini deux tons. Choisissez un rouleau à motifs en relief plaisants et une couleur plus foncée que l'arrière plan.

Outils et matériel

- Bac à peinture double
- Agitateur à peinture
- Rouleau double
- Rouleaux à motifs en relief
- Outils de finition à motifs en relief
- Deux nuances de peinture au latex
- Glacis

Comment créer un motif de deux tons mélangés à l'aide d'un rouleau double texturé

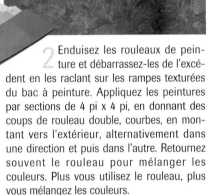

2 Enduisez les rouleaux de peinture et débarrassez-les de l'excédent en les raclant sur les rampes texturées du bac à peinture. Appliquez les peintures par sections de 4 pi x 4 pi, en donnant des coups de rouleau double, courbes, en montant vers l'extérieur, alternativement dans une direction et puis dans l'autre. Retournez souvent le rouleau pour mélanger les couleurs. Plus vous utilisez le rouleau, plus vous mélangez les couleurs.

1 Versez les peintures dans les deux sections du bac à peinture. Si vous voulez qu'une couleur domine dans le motif, versez une plus grande quantité de cette peinture dans le bac. Ajoutez ¼ tasse de glacis à chaque couleur et mélangez les deux peintures, à l'aide de mélangeurs à peinture.

Variantes de motif deux tons

On a créé ici un fini deux tons pour obtenir un fini mélangé, d'aspect massif.

Ici, la couleur crème contraste avec le bleu pour donner un fini profond, texturé.

3 Après avoir peint une section de 4 pi x 4 pi au rouleau double, servez-vous d'un tampon de finition pour achever le motif le long des bords et aux endroits que le rouleau ne peut atteindre. Trempez le tampon dans une des peintures et ôtez l'excédent de peinture en frottant le tampon contre le bord du bac. Appliquez la peinture aux endroits à peindre, en tamponnant. Répétez l'opération avec la peinture de la deuxième couleur, en mélangeant les couleurs pour qu'elles se fondent dans le fini appliqué au rouleau.

Comment créer une bordure ou un motif à l'aide d'un rouleau à motifs en relief

Vous pouvez utiliser un rouleau à motifs en relief pour créer une bordure ou un motif sur un fini de deux tons mélangés. Contrairement aux rouleaux ordinaires, ce rouleau doit imprimer le motif en une seule passe dans une seule direction. Une application de peinture sur le motif en relief du rouleau permet normalement de peindre un motif d'environ 6 pi de long, en une passe. Si vous peignez une bordure, tracez légèrement, à l'aide d'un niveau à bulle et d'un crayon, une ligne horizontale sur le mur. Marquez ensuite des intervalles de 6 pi le long de la ligne, vous saurez ainsi quand vous arrêter et recharger le rouleau.

Il est important de ne pas saturer le rouleau entier si vous peignez une bordure ou un motif linéaire. Ne chargez que la partie en relief du rouleau. Limitez à $\frac{1}{4}$ po la profondeur de la couche de peinture que vous versez dans le bac et enlevez l'excédent de peinture du rouleau à l'aide d'un petit pinceau ou d'un chiffon. Finissez les zones non peintes avant d'utiliser le rouleau à motifs en relief.

Variantes de motifs

Ce motif à feuilles d'érable, de couleur contrastée, forme une bordure qui se détache nettement sur un fini de deux tons, délicat.

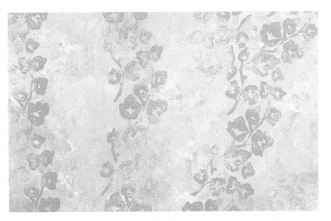

Ce motif à feuilles de vigne et le fini de deux tons semblent s'entremêler parce que la couleur du motif s'estompe et s'accentue par endroits.

Finis lavés

*L*e fini lavé est facile à réaliser et il donne au revêtement mural un air d'aquarelle, translucide. Il peut souligner les surfaces texturées des murs en plâtre ou en stuc et donner un aspect texturé aux panneaux muraux plats. Vous pouvez choisir entre deux méthodes pour laver la couleur ; chacune d'elles utilise son propre mélange de glacis et permet d'obtenir un fini d'aspect particulier.

Dans la méthode à l'éponge, on applique, à l'aide d'une éponge de mer, un glacis fortement dilué sur une couche de fond de peinture-émail au latex, peu brillante. On obtient ainsi une texture délicate faite d'un doux mélange de couleurs. L'autre méthode consiste à laver la couleur au pinceau, en utilisant un glacis plus épais que le glacis à l'éponge. Le fini reproduit les fines stries des coups de pinceau et crée un jeu de tons plus marqués. Lorsque le glacis commence à sécher, on peut adoucir l'effet obtenu en brossant la surface à l'aide d'un pinceau à poils naturels, sec.

Le glacis de lavage peut être plus clair ou plus foncé que la couche de fond. Vous obtiendrez les meilleurs résultats en utilisant deux couleurs voisines, ou en choisissant, pour la couche de fond ou pour le glacis, une couleur neutre, comme le beige ou le blanc. Le travail au glacis étant généralement salissant, protégez le plancher et les meubles à l'aide de toiles de peintre et appliquez du ruban-cache le long du plafond et des moulures.

Outils et matériel
- Rouleau de peintre
- Peinture au latex mate, pour le glacis
- Produit de conditionnement pour peinture au latex, pour le glacis à l'éponge
- Seau
- Éponge de mer, ou pinceaux à poils naturels de 3 à 4 po
- Gants en caoutchouc
- Ruban-cache de peintre
- Toiles de peintre imperméables
- Peinture-émail au latex peu brillante, pour la couche de base

Comment laver la couleur à l'éponge

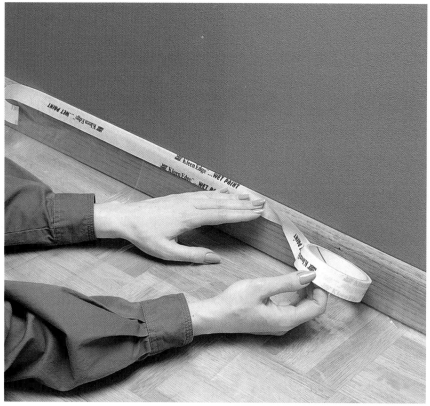

Glacis pour lavage à l'éponge

Mélangez les constituants suivants :
- 1 partie de peinture au latex ou de peinture acrylique
- 8 parties d'eau

Glacis pour lavage au pinceau

Mélangez les constituants suivants :
- 1 partie de peinture au latex mate
- 1 partie de produit de conditionnement pour peinture au latex
- 2 parties d'eau

1 Masquez les pourtours de la surface au moyen de ruban-cache de peintre et couvrez le plancher de toiles de peintre imperméables. À l'aide d'un rouleau de peintre, appliquez la couche de fond de peinture-émail au latex peu brillante. Laissez sécher la peinture.

2 Trempez l'éponge dans la solution de glacis de lavage. Pressez-la pour en extraire l'excédent de glacis tout en la gardant fortement imbibée.

3 Commencez dans un coin, en bas, et progressez en donnant de petits coups courbes. Couvrez rapidement une section de 3 pi x 3 pi du mur en faisant chevaucher les coups et en variant la direction.

4 Répétez les étapes 2 et 3, en frottant l'éponge en montant vers l'extérieur, jusqu'à ce que le mur soit complètement lavé au glacis. Laissez sécher la peinture. Appliquez une deuxième couche si vous désirez accentuer la couleur.

Comment laver la couleur au pinceau

1 À l'aide d'un rouleau ou d'un pinceau, appliquez une couche de fond de peinture-émail au latex, peu brillante. Laissez sécher la peinture. Mélangez les constituants du glacis dans un seau. Trempez un pinceau dans le glacis et ôtez l'excédent de glacis en pressant le pinceau contre le bord du seau. Appliquez le glacis sur le mur, en traits croisés, en commençant dans un coin. Plus vous brosserez le mur, plus doux sera l'aspect.

2 Pour adoucir l'apparence, brossez toute la surface à l'aide d'un pinceau à poils naturels, sec. Le cas échéant, essuyez l'excédent de glacis du pinceau.

Variantes de couleurs lavées

Choisissez, pour la couche de fond et le glacis, des couleurs voisines ou utilisez au moins une couleur neutre. Un glacis foncé sur une couche de fond claire donne un effet marbré. Un glacis clair sur une couche de fond foncée donne un effet crayeux ou une impression d'aquarelle.

Ici, on a appliqué une couche de glacis turquoise moyennement foncée sur une couche de fond claire, blanche.

On a créé ce fini en recouvrant une couche de fond couleur corail d'une couche de glacis blanc.

Finis fausse serpentine

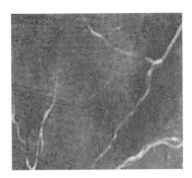

*O*n a donné le nom de serpentines à une variété de marbres verts qui
contiennent le minéral serpentine et qui se distinguent par leur texture apparente et les nuances de leurs couleurs, qui présentent souvent
des traces de noir et de blanc. Certaines d'entre elles se caractérisent par
un réseau de fines veines, alors que d'autres ne sont que faiblement ou
pas du tout veinées. Les serpentines ont trouvé, comme c'est le cas de
tous les marbres, des applications architecturales diverses, notamment
dans les portes, les murs et les piliers.

Le marbre véritable est souvent taillé en carreaux pour faciliter son
installation ; un fini en fausse serpentine appliqué à une grande surface
paraîtra donc plus naturel si on l'applique par sections, séparées par de
fines lignes imitant le coulis (pages 250-251). On applique le fini sur la
moitié de la surface en masquant une section sur deux et en suivant les
étapes 1 à 8. Lorsque la première moitié des sections est complètement
sèche, on la masque et on applique le fini sur l'autre moitié. Pour terminer,
on donne au faux fini l'apparence brillante du vrai marbre en appliquant un
fini brillant sur l'ensemble de la surface.

Outils et matériel

- Rouleau de peintre à poils courts,
  pour la couche de fond d'une
  grande surface
- Applicateur en éponge, ou pinceau
- Brosse dure en poils de putois
  (ou « putois »)
- Flacon pulvérisateur
- Plume de dinde, pour le veinage
- Peinture-émail au latex, peu brillante, vert moyen, pour la couche
  de fond

- Peintures acryliques d'artiste,
  verte (plus foncée que le vert de
  la couche de fond), noire et
  blanche
- Uréthane transparent à base
  d'eau
- Journal
- Étamine
- Fini transparent brillant ou produit de scellement acrylique
  transparent, brillant.

Comment créer un fini fausse serpentine

Glacis brillant pour fausse serpentine

Mélangez les constituants suivants pour chaque glacis brillant :
- 1 partie d'uréthane transparent
- 1 partie de peinture, de la couleur désirée
- 1 partie d'eau

1 À l'aide d'un applicateur adapté à la grandeur de la surface à peindre, appliquez une couche de fond de peinture-émail au latex, peu brillante, vert moyen. Appliquez séparément et au hasard, les glacis noir, vert et blanc, brillants, par coups larges, donnés en diagonale en utilisant un applicateur en éponge ou un pinceau. Recouvrez la plus grande partie de la surface, en laissant transparaître quelques plaques de couche de fond.

2 Tapotez rapidement la surface à l'aide d'une brosse dure à poils de putois, aux endroits où les glacis se rencontrent, de manière à les mélanger légèrement.

3 Pliez plusieurs fois un journal et placez-le à plat sur une partie de la surface, orienté suivant la même diagonale que les coups d'applicateur. Appuyez le papier journal contre la couche de glacis et soulevez-le ensuite en enlevant un peu de glacis.

4 Répétez l'étape 3 sur toute la surface, en utilisant le même journal. Orientez occasionnellement le journal dans la direction opposée. Ajoutez du glacis pour obtenir la couleur voulue et adoucissez les couleurs trop contrastées en tapotant un morceau d'étamine ouatinée sur ces endroits. Si nécessaire, pulvérisez de l'eau sur la surface, pour pouvoir travailler les glacis.

5 Mettez du glacis noir sur un morceau de journal que vous appliquerez ensuite, en diagonale, sur la surface, à différents endroits, pour obtenir plus de profondeur et un effet plus saisissant. Adoucissez l'impression, si nécessaire, au moyen d'un tampon d'étamine. Répétez l'opération en utilisant le glacis blanc dans les petites parties claires de la surface.

6 Diluez dans de l'eau un mélange de glacis blanc et vert jusqu'à ce que le mélange ait la consistance d'une crème légère. Trempez-y le bord et l'extrémité d'une plume. Placez l'extrémité de la plume près de la surface, à l'endroit choisi pour créer une veine. Traînez légèrement l'extrémité de la plume, diagonalement sur la surface, en la remuant, en la tournant légèrement, et en l'appuyant plus ou moins sur la surface, de manière à créer une veine irrégulière et sinueuse. Commencez votre geste et terminez-le en dehors de la surface.

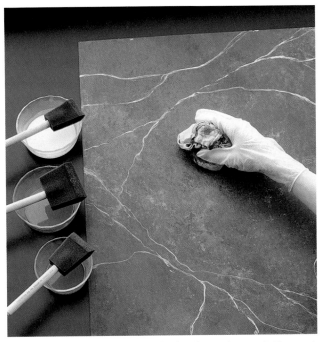

7 Répétez l'étape 6 à votre gré, pour créer un réseau de veines. Rapprochez occasionnellement les veines pour créer des formes étroites, oblongues, irrégulières. Pour adoucir les veines, tapotez-les légèrement avec un morceau d'étamine ouatinée. Laissez sécher la surface.

8 Diluez les glacis jusqu'à ce qu'ils aient la consistance de l'encre et appliquez-les sur la surface, au hasard. Adoucissez les couleurs en tapotant les endroits voulus avec un morceau d'étamine ouatinée. Laissez sécher les glacis. Appliquez plusieurs couches minces de fini transparent brillant ou de produit de scellement acrylique transparent en aérosol, en laissant sécher la surface entre les couches.

Planchers en fausse pierre

Vous pouvez, à l'aide d'un putois ou à l'aide de morceaux de journal, peindre sur un plancher un fini qui imite la pierre dépolie. La technique du putois donne un fini aux couleurs mélangées, texturé et relativement lisse, tandis que la technique du papier journal crée un fini imitant la pierre dépolie qui présente un relief, aux couleurs variées et de texture brute. En ajoutant des lignes de coulis rustiques, vous obtiendrez, dans les deux cas, un fini qui ressemblera à des carreaux de pierre coûteux.

Vous pouvez combiner une variété de glacis de tons terreux pour obtenir un fini de la couleur désirée. Vous ne devrez généralement utiliser que deux ou trois couleurs, car lorsque vous appliquerez la technique du fini, elles se mélangeront pour produire toute une gamme de tons.

Pour créer des lignes de coulis, vous collerez un quadrillage de ruban-cache sur la surface avant d'appliquer la technique du faux fini. Vous obtiendrez un effet rustique en peignant les lignes à main levée et vous donnerez une impression de relief en ombrant les lignes de coulis pour créer un effet de trompe-l'œil.

Outils et matériel

- Rouleau de peintre à poils courts, pour la couche de fond appliquée sur une grande surface
- Applicateur en éponge, ou pinceau
- Putois ou journal
- Crayon
- Règle rectifiée
- Peinture-émail au latex, peu brillante, blanche
- Peinture au latex mate, de deux ou trois tons terreux, pour les glacis mats
- Produit de conditionnement pour peinture au latex
- Étamine
- Peinture au latex mate, blanche et de ton terreux, pour les lavis
- Fini transparent mat ou produit de scellement acrylique transparent, mat (facultatif)
- Ruban-cache de 1/4 po, peinture au latex ou peinture acrylique d'artiste d'un ton contrastant avec le fini en fausse pierre, et pinceau à soie ronde d'artiste, pour les lignes imitant le coulis rustique
- Ruban-cache de 1/8 po, couteau X-Acto, marqueur et lissoir, pour les lignes de coulis en trompe-l'œil.

Comment créer un fini en fausse pierre en utilisant la méthode du putois

1 À l'aide d'un applicateur adapté à la grandeur de la surface, appliquez une couche de fond de peinture-émail au latex, peu brillante, blanche, sur toute la surface. Laissez sécher la peinture. Le cas échéant, masquez les lignes de coulis (pages 250-251).

2 Donnez des coups d'applicateur en éponge ou des coups de pinceau pour appliquer un glacis mat de ton terreux, au hasard. Couvrez environ la moitié de la surface. Répétez l'opération avec une autre couleur de glacis dans les zones qui restent, en laissant telles quelles quelques petites plaques.

3 À l'aide d'un putois, « pointillez » la surface. Mélangez les couleurs à votre gré et laissez des zones très foncées et d'autres assez claires pour que la couche de fond transparaisse. Ajoutez des glacis noir et blanc, ou des glacis de tons terreux si vous le désirez. Pointillez la surface pour mélanger les couleurs, puis laissez sécher la peinture.

Glacis mats pour planchers en fausse pierre

Mélangez les constituants suivants pour chaque glacis mat de ton terreux :
  1 partie de peinture au latex, mate
  1 partie de produit de conditionnement
  pour peinture au latex
  1 partie d'eau

Lavis pour planchers en fausse pierre

Mélangez les constituants suivants pour chaque ton de lavis :
  1 partie de peinture au latex mate
  2 ou 3 parties d'eau

Diluez la peinture avec de l'eau jusqu'à ce qu'elle ait la consistance de l'encre.

4 Appliquez un glacis blanc sur toute la surface. Utilisez un tampon d'étamine ouatinée pour adoucir le fini. Laissez sécher la peinture, puis, si vous le désirez, appliquez un fini mat transparent ou un produit de scellement acrylique transparent en aérosol, mat.

Comment créer un fini en fausse pierre en utilisant la méthode du journal

1 Suivez les étapes 1 et 2 de la page 248. Appliquez un lavis blanc aux endroits désirés et un lavis de ton terreux ailleurs.

2 Pliez plusieurs fois une feuille de journal. Placez-la à plat sur la surface et appuyez dessus pour l'enfoncer dans le glacis. Retirez-la, en enlevant un peu du glacis. Répétez l'opération en d'autres endroits, avec la même feuille de journal, en la posant dans différentes directions pour mélanger grossièrement les couleurs.

3 Si vous voulez ajouter de la couleur à un endroit, étalez du glacis sur la feuille de journal et posez celle-ci à plat sur la surface. Répétez l'opération jusqu'à ce que vous ayez créé l'effet désiré. Laissez quelques zones foncées et quelques zones claires dans la surface finie. Gardez la même feuille de journal pendant toute l'opération. Laissez sécher la peinture.

4 Appliquez un glacis blanc sur toute la surface. Utilisez un tampon d'étamine ouatinée pour adoucir le fini. Laissez sécher la peinture, puis, si vous le désirez, appliquez un fini mat transparent ou un produit de scellement acrylique transparent en aérosol, mat.

Comment peindre des lignes de coulis rustique

1 À l'aide d'un applicateur adapté à la grandeur de la surface, appliquez une couche de fond de peinture-émail au latex, peu brillante, blanche, sur toute la surface. Laissez sécher la peinture. Prévoyez l'emplacement des lignes de coulis et marquez leurs points d'intersection, en utilisant une règle rectifiée et un crayon.

2 Collez horizontalement du ruban-cache de ¼ po sur la surface, de manière qu'il soit bien tendu, et placé chaque fois en dessous des marques. Répétez l'opération pour les lignes verticales, en plaçant le ruban-cache juste à droite des marques. Appuyez fermement sur le ruban-cache avec la pulpe des doigts, mais sans lisser le ruban-cache.

3 Appliquez le faux fini désiré (pages 248-249). Laissez-le sécher. Enlevez soigneusement les bandelettes de ruban-cache.

4 Peignez les lignes de coulis à main levée, à l'aide d'un pinceau d'artiste à soie ronde, en utilisant un glacis pour lignes de coulis, d'une couleur qui tranche harmonieusement avec le faux fini. Arrangez-vous pour que les lignes de coulis présentent quelques irrégularités en largeur et en densité de couleur. Laissez sécher la peinture. Si vous le désirez, appliquez un fini ou un produit de scellement sur toute la surface.

Comment créer des lignes de coulis en trompe-l'œil

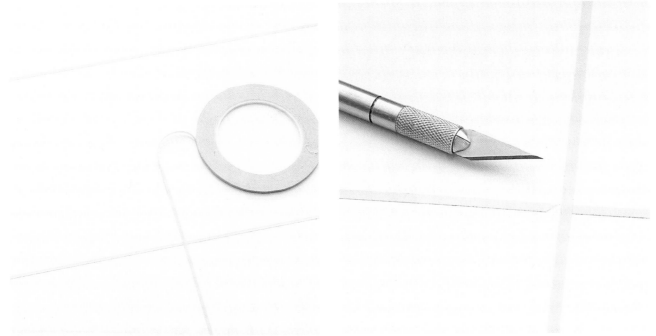

1 Suivez l'étape 1 de la page 250. Collez du ruban-cache de ⅛ po, de manière qu'il soit bien tendu, horizontalement sur la surface, et placé chaque fois juste en dessous des marques. Répétez l'opération pour les lignes verticales, en plaçant le ruban-cache juste à droite des marques.

2 Au moyen d'un couteau X-Acto, découpez des triangles de ruban-cache sur les bandelettes horizontales, en commençant à gauche de chaque intersection avec une bandelette verticale. Découpez chaque triangle en partant du point supérieur de l'intersection et en descendant vers la gauche, à 45°.

Glacis pour lignes de coulis

Mélangez les constituants suivants :
- 1 partie de peinture au latex ou de peinture acrylique d'artiste
- 1 partie de produit de conditionnement pour peinture au latex
- 1 partie d'eau

3 Enlevez des triangles de ruban-cache des bandelettes verticales, juste au-dessus de chaque intersection avec une bandelette horizontale. Découpez chaque triangle en partant du point gauche de l'intersection, en montant vers la droite, à 45°.

(Suite à la page suivante)

Comment créer des lignes de coulis en trompe-l'œil *(suite)*

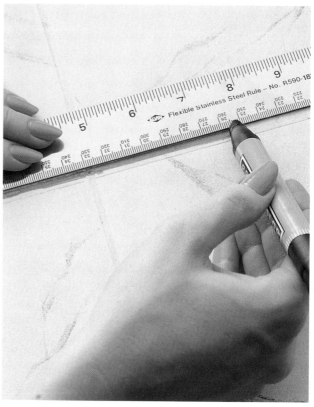

4 À l'aide d'une carte de crédit en plastique ou d'un abaisse-langue, lissez toutes les bandelettes de ruban-cache. Appliquez le faux fini désiré (pages 248-249) et laissez-le sécher complètement.

5 Au moyen d'un marqueur, ombrez le dessus de chaque bandelette de ruban-cache horizontale sur une largeur de ⅛ po, dans une couleur plus foncée que la couleur de la couche de fond.

6 Ombrez sur une largeur de ⅛ po, le côté gauche de chaque ruban-cache vertical. Ensuite, décollez soigneusement tout le ruban-cache de la surface. Si vous le désirez, appliquez un fini ou un produit de scellement sur toute la surface.

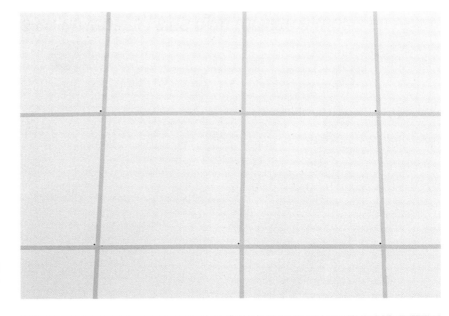

Créez un effet de carreaux de céramique en plaçant les lignes à égale distance, horizontalement et verticalement.

Collez une grille de ruban-cache pour créer un effet de carreaux de céramique, puis enlevez une section verticale sur deux et en décalant d'une section à chaque rangée pour imiter l'aspect de blocs de pierre placés en quinconce.

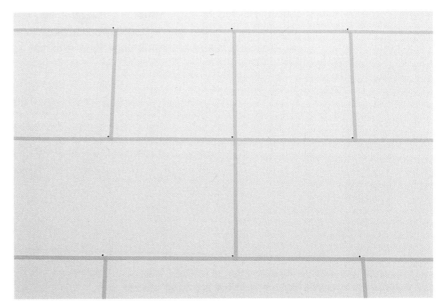

Combinez des modèles de lignes de coulis pour rendre le faux fini plus attrayant.

Finis en faux plancher de bois

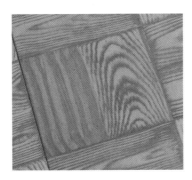

Vous pouvez imiter les riches motifs et couleurs du veinage naturel du bois en utilisant une technique qui remonte à l'époque romaine et qui était particulièrement répandue à la fin du dix-neuvième siècle. Le faux veinage du bois – appelé aussi grainage –, technique longtemps réservée aux artisans spécialisés, connaît une nouvelle vogue depuis l'avènement d'outils tels que le tampon de grainage (page 256). Le grainage est une méthode qui convient à n'importe quelle surface lisse.

Pour imiter le veinage du bois, on applique une couche de peinture épaisse sur une couche de fond de peinture-émail au latex, peu brillante. On fait glisser la partie tampon de l'outil à travers le glacis humide en la faisant basculer d'un côté à l'autre. Le glissement et le basculement simultanés du tampon crée des marques de forme ovale qui imitent le veinage caractéristique du pin ou des autres essences.

Familiarisez-vous avec la technique du grainage en faisant des essais sur de grandes feuilles de carton jusqu'à ce que vous obteniez un motif imitant suffisamment bien le veinage du bois naturel. Vous pourrez du même coup tester le fini avant d'exécuter le travail.

Pour imiter un parquet de bois, peignez la couche de base dans une grille de carrés de 4 ou de 8 po de côté. Vous pouvez centrer le motif dans la pièce, ou commencer dans un coin, par un carré entier. Masquez un carré sur deux et orientez le fil du bois, dans le sens horizontal pour une moitié des carrés et dans le sens vertical pour l'autre moitié.

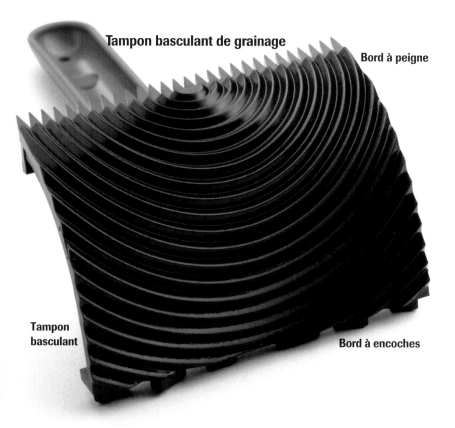

Tampon basculant de grainage

Bord à peigne

Tampon basculant

Bord à encoches

Outils et matériel

- Pinceau à poils synthétiques, applicateur en éponge, ou rouleau de peintre, pour appliquer la couche de fond
- Pinceau à poils synthétiques, facultatif, pour appliquer le glacis
- Tampon basculant de grainage
- Pinceau doux à poils naturels, de 3 ou 4 po de large, pour adoucir le motif
- Règle rectifiée, crayon, ruban-cache de peintre et couteau à calfeutrer, pour le fini faux parquet
- Peinture-émail au latex, peu brillante, pour la couche de fond
- Peinture acrylique d'artiste ou peinture au latex du lustre voulu, pour le glacis
- Agent d'épaississement pour peinture acrylique
- Chiffons
- Carton, pour effectuer des essais de motifs
- Fini transparent satiné ou brillant, ou produit de scellement acrylique transparent en aérosol

Comment peindre un faux fini par grainage

La couleur finale du fini de veinage du bois dépend de l'effet combiné de la couche de fond et de la couche de glacis. Pour obtenir l'apparence du bois naturel, utilisez une couche de base claire et un glacis foncé. Les couleurs suivantes conviennent pour la couche de fond : terre de Sienne, oxyde rouge, terre de Sienne brûlée, ombre brûlée et les tons de beige. La couleurs suivantes conviennent pour le glacis : ombre brûlée, noir, oxyde rouge et terre de Sienne brûlée. La gamme de teintures utilisées actuellement en menuiserie est tellement étendue qu'il n'est pas nécessaire d'imiter à la fois le veinage et la couleur d'une essence particulière.

Glacis pour grainage

Mélangez les constituants suivants :
2 parties de peinture acrylique d'artiste ou de peinture au latex du lustre voulu.
1 partie d'agent épaississeur pour peinture acrylique.

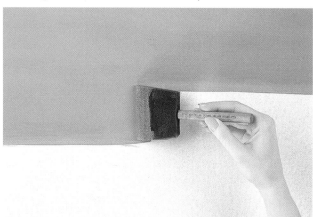

1 Appliquez une couche de fond de peinture-émail au latex, peu brillante, de la couleur désirée, en l'étendant dans la direction des fibres du bois à imiter. Utilisez un pinceau ou un applicateur en éponge, ou encore un rouleau pour les grandes surfaces. Laissez sécher la peinture.

2 Préparez le glacis de grainage et, à l'aide d'un applicateur en éponge ou d'un pinceau à poils synthétiques, appliquez-en une couche uniforme sur la couche de fond, en procédant par petites surfaces. Donnez les coups de pinceaux parallèlement aux fibres du bois à imiter.

3 Faites glisser le tampon basculant à travers le glacis humide, en le basculant lentement pour créer l'effet de veinage du bois. Commencez dans un coin et progressez d'un mouvement continu en glissant et en basculant l'outil d'une extrémité à l'autre (ci-dessus). La position du tampon correspond aux marques du veinage, comme le montre l'illustration.

4 Répétez l'étape 3 pour les rangées suivantes, en faisant varier l'espace entre les marques ovales. Si c'est nécessaire, essuyez l'excédent de glacis au moyen d'un chiffon. Pour certaines rangées, faites glisser dans le glacis le bord à peigne ou le bord à encoches du tampon plutôt que sa partie basculante. Vous créerez ainsi un autre effet, c'est-à-dire l'imitation des seules fibres du bois.

5 Avant que le glacis n'ait complètement séché, utilisez un pinceau doux à poils naturels, sec, de 3 ou 4 po de large, pour brosser la surface. Brossez légèrement dans la direction des fibres du bois pour adoucir le fini. Essuyez l'excédent de glacis du pinceau, si nécessaire. Laissez sécher le glacis. Si vous le désirez, appliquez un fini transparent ou un produit de scellement acrylique transparent.

Comment réaliser un faux fini imitant un parquet

1 À l'aide d'un pinceau ou d'un rouleau, appliquez une couche de fond de peinture-émail peu brillante et laissez-la sécher. Au moyen d'une règle rectifiée et d'un crayon, tracez une grille sur la couche de fond. Centrez la grille par rapport à la pièce ou commencez par un carré entier, dans un coin.

2 Collez du ruban-cache pour masquer un carré sur deux de la grille. Utilisez un couteau à mastiquer pour couper le ruban-cache en diagonale, dans chaque coin, comme le montre la photo. Appuyez fermement sur les bords du ruban-cache, pour éviter que le glacis ne s'y infiltre. Préparez le glacis de grainage (page 256).

3 Appliquez le glacis dans les carrés non masqués, en brossant horizontalement. Dans certains carrés, faites glisser le tampon de grainage horizontalement sur le glacis humide, sans le basculer, pour obtenir un veinage droit. Dans d'autres, faites glisser le tampon en le basculant, pour obtenir différentes marques de forme ovale. Ne travaillez que sur quelques carrés à la fois, car le glacis sèche rapidement.

4 Au moyen d'un pinceau à poils naturels souples, sec, brossez la surface avant que le glacis n'ait complètement séché. Brossez en donnant des coups légers dans la direction du veinage, pour adoucir le fini. Si c'est nécessaire, essuyez l'excédent de glacis du pinceau à l'aide d'un chiffon sec.

5 Laissez sécher la peinture, puis enlevez le ruban-cache. Collez du ruban-cache sur les carrés en faux fini. Appliquez du glacis sur les carrés non masqués, en brossant dans le sens vertical. Répétez les étapes 3 et 4, en travaillant verticalement. Laissez sécher la peinture, puis enlevez le ruban-cache. Si vous le désirez, appliquez un fini transparent ou un produit de scellement acrylique transparent en aérosol.

Variantes de veinages

Vous pouvez créer de faux veinages dont les couleurs ressemblent à celles des teintures courantes : cerisier, chêne, noyer, etc. Il suffit de bien choisir la couleur des peintures utilisées pour la couche de fond et pour le glacis.

Imitez un fini cerisier en utilisant une couche de fond rouille foncé et un glacis ombre brûlée.

Imitez le chêne en utilisant une couche de fond havane clair et un glacis havane doré.

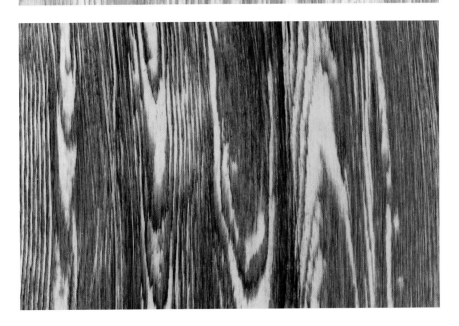

Imitez le noyer en utilisant une couche de fond or foncé et un glacis ombre brûlée.

Décorer en utilisant des techniques perfectionnées

Parallèlement aux peintures et glacis modernes, qui permettent aux bricoleurs de réaliser de remarquables finis « peints sur mesure », la gamme étendue des nouveaux revêtements muraux et des moulures, que l'on trouve maintenant dans le commerce, leur donne l'occasion d'ajouter une dimension architecturale intéressante à leur décoration intérieure. Dans cette dernière section du livre, nous vous enseignons cinq techniques que vous pouvez utiliser pour donner à votre intérieur une touche artisanale personnelle.

Les revêtements muraux spéciaux, tels que les tissus et les matériaux gaufrés, sont parfois fragiles, difficiles à utiliser et chers, mais leurs surfaces naturelles ou texturées ajoutent plus qu'une simple couleur aux murs. Dans les pages suivantes, nous vous donnerons quelques conseils essentiels pour la préparation des murs et nous vous indiquerons la manière d'utiliser et d'installer les matériaux spéciaux pour obtenir des résultats impeccables.

Il est étonnamment facile de décorer une pièce avec des découpes de revêtements muraux, et celles-ci peuvent avoir un effet saisissant. En découpant des motifs de revêtements muraux standard et en les collant sur un mur, vous pouvez, par exemple, souligner un portrait ou faire ressortir un meuble. Les découpes noyées dans l'arrière-plan massif d'un mur peint peuvent donner l'impression d'objets en trois dimensions et créer un trompe-l'œil agréable.

Fabriquer une boîte à rideaux pour une fenêtre peut paraître difficile, mais c'est un projet facile à réaliser si l'on joint les techniques du revêtement mural à la simple construction d'une boîte en contreplaqué. Le projet de boîte à rideaux présenté dans cette section vous apprend comment prendre les mesures de la boîte en contreplaqué, comment l'installer en tenant compte de la décoration existante de la fenêtre, et comment la couvrir d'une bordure de revêtement mural de votre choix.

Les bricoleurs ont le choix parmi les nombreuses moulures décoratives à leur disposition lorsqu'ils veulent donner une touche élégante à un intérieur. Vous pouvez, par exemple, créer des moulures murales en utilisant des moulures de base en bois que vous trouverez dans toutes les maisonneries. Vous pouvez également choisir vos moulures parmi les nombreux nouveaux produits en polyuréthane, que l'on trouve chez les détaillants spécialisés et dans les catalogues publicitaires. Quels que soient les produits que vous choisirez, vous trouverez dans cette section les outils et les techniques d'installation de base dont vous aurez besoin pour effectuer le travail.

Revêtements muraux spéciaux

Les revêtements muraux spéciaux rehaussent la décoration d'une pièce. Les méthodes de base à suivre pour les installer sont les mêmes que celles utilisées pour installer les revêtements muraux ordinaires (pages 116 à 155), à la différence que ces revêtements requièrent des techniques de manipulation particulières. Les revêtements muraux réfléchissants, comme les pellicules métalliques et les mylars, illuminent les pièces les plus sombres, mais les murs sur lesquels on les installe doivent être parfaitement lisses. Les revêtements en tissu ou en fibre végétale peuvent atténuer et dissimuler les défauts des murs irréguliers, mais il est difficile de les garder propres. Les revêtements muraux gaufrés cachent également les défauts des murs, mais ils ne se souillent pas aussi facilement que les revêtements muraux en tissu ou en fibre végétale.

Lorsque les murs sont très rugueux, il faut envisager l'installation d'un papier de couverture avant de poser le revêtement mural. En plaçant les bandes de papier de couverture horizontalement, on évitera que les joints du revêtement mural et ceux du papier de couverture se chevauchent.

Lorsque vous installez des revêtements muraux spéciaux, choisissez-les soigneusement et suivez toujours les instructions du fabricant, car ils coûtent parfois cher.

Conseils pour l'installation de revêtements en tissu

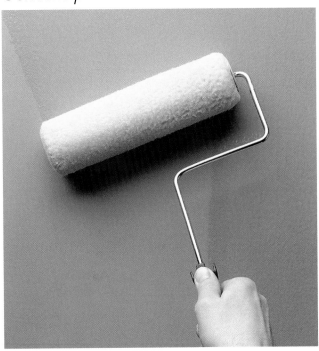

Utilisez un adhésif transparent ou de la colle d'amidon traditionnelle, en suivant les instructions du fabricant. L'adhésif transparent ne risque pas de traverser et de tacher les surfaces en tissu. Pour installer certains revêtements muraux, il faut appliquer l'adhésif sur les murs plutôt que sur les bandes de revêtement.

Utilisez un rouleau de peintre sec, à poils souples, ou une brosse souple à poils naturels pour lisser les tissus. Une brosse dure risque d'endommager la surface du revêtement.

Conseils pour l'installation de revêtements en pellicule métallique

Sur les surfaces rugueuses ou inégales, comme les murs à panneaux, les murs texturés ou les murs de maçonnerie, installez une couche de papier de couverture pour former une base lisse sur laquelle vous installerez le revêtement mural.

Manipulez la pellicule métallique avec prudence. Ne faites pas de faux plis dans les bandes, ne les froissez pas et veillez à aplatir toutes les bulles dès que vous avez installé les bandes.

Utilisez une brosse à coller souple pour ne pas griffer ou ternir la surface réfléchissante. N'utilisez pas de rouleau à joints : tapotez légèrement les joints à l'aide d'une brosse à coller pour les sceller.

Conseils pour l'installation de revêtements muraux gaufrés

À l'aide d'un rouleau de peintre, appliquez au dos des bandes de revêtement un adhésif à base d'argile pour revêtements muraux. Prenez garde de ne pas appuyer trop fortement le rouleau sur le papier, car vous pourriez endommager le gaufrage.

Tapotez légèrement les joints avec une brosse à coller, pour les sceller. N'utilisez pas de rouleau à joints lorsque vous installez des revêtements muraux gaufrés.

Enlevez si possible l'adhésif de la surface exposée des revêtements muraux gaufrés. Enlevez l'adhésif humide immédiatement en tapotant légèrement l'endroit au moyen d'une éponge légèrement humide.

Finissez les revêtements muraux gaufrés en leur appliquant plusieurs couches de peinture au latex. Utilisez un pinceau et faites pénétrer la peinture uniformément dans les crevasses. Laissez sécher la peinture entre les couches.

Variantes de finis appliqués sur les revêtements muraux gaufrés

Fini ternis : appliquez deux couches de peinture alkyde pour le ton de base. Mélangez une peinture alkyde de couleur voisine, plus foncée, avec un glacis transparent et appliquez le mélange sur la première couche.

Mise en évidence dorée : commencez par recouvrir le revêtement mural d'un apprêt acrylique. Appliquez ensuite deux couches d'apprêt coquille, au latex, comme couche de fond. À l'aide d'un petit pinceau d'artiste, appliquez un glacis doré sur les parties en relief.

Fini essuyé : appliquez une sous-couche d'apprêt acrylique blanc, puis deux couches de peinture alkyde blanche. Mélangez une peinture-émail brillante de la couleur opacifiante désirée avec un glacis transparent et appliquez le mélange sur la surface en « essuyant » celle-ci avec un chiffon de coton.

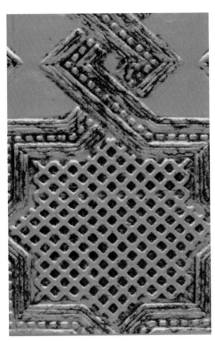

Faux fini étain : appliquez deux couches de peinture au latex, satinée blanche, une couche de peinture au latex argentée métallisée, une couche de glacis ton chêne et une dernière couche de vernis semi-brillant.

Fini vieux cuir : appliquez deux couches de peinture au latex satinée comme couche de fond, puis une couche de glacis foncé, en travaillant sur de petites sections. Enlevez en partie le glacis à l'aide d'un chiffon de coton. Terminez par une couche de vernis semi-brillant.

Découpes en revêtement mural

Les découpes en revêtement mural sont des motifs décoratifs découpés dans des bandes ou des bordures de revêtement mural. Vous pouvez utiliser ces découpes pour créer un motif intéressant ou un effet en trompe-l'œil sur un mur peint. Vous pouvez aussi créer des motifs exclusifs en combinant des découpes provenant de différents revêtements muraux. Vous obtiendrez de meilleurs résultats si vous travaillez sur des murs qui ont été peints avec une peinture lavable de première qualité, comme une peinture peu brillante ou satinée, ou encore une peinture-émail mate.

Dans la plupart des cas, on utilisera un adhésif de vinyle transparent pour coller les découpes sur le mur. Si vous voulez appliquer un adhésif de bordure sur des découpes encollées, vous devrez peut-être enlever la colle des découpes pour réduire l'épaisseur du papier. Pour ce faire, trempez la découpe dans l'eau et frottez légèrement le côté encollé. Enlevez l'excédent d'eau en tapotant la découpe avec une serviette et appliquez ensuite l'adhésif de votre choix.

Comment coller une découpe de revêtement mural

Outils et matériel

- Couteau X-Acto ou petits ciseaux
- Surface de coupe
- Applicateur en éponge
- Éponge
- Rouleau à joints
- Bandes de revêtements muraux ou de bordures
- Feuille de plastique ou de papier ciré
- Adhésif pour revêtements muraux

1 À l'aide d'un couteau X-Acto sur une surface de coupe, ou à l'aide d'une petite paire de ciseaux bien affûtée, découpez les motifs de revêtement mural. Simplifiez les formes si nécessaire. Pour vous faciliter la tâche, découpez les parties intérieures avant de découper les bords extérieurs des motifs.

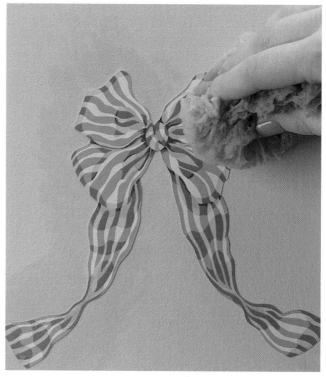

2 Placez la découpe à l'envers sur une feuille de plastique ou de papier ciré. Appliquez une mince couche uniforme d'adhésif, à l'aide d'un applicateur en éponge.

3 Appuyez la découpe sur la surface. Éliminez toutes les bulles d'air en lissant la surface avec une éponge humide. Utilisez un rouleau à joints pour bien coller les bords et enlevez l'excédent d'adhésif au moyen d'une éponge humide.

Bordures découpées au laser

Les bordures découpées au laser que l'on trouve dans les magasins de peintures et de revêtements muraux offrent le détail d'une découpe de revêtement mural faite dans une bande de bordure continue. On découpe au laser les contours des motifs pour qu'ils soient impeccables. Les bordures découpées au laser peuvent être encollées ou non, et vous pouvez les installer en appliquant les méthodes standard d'installation des bordures de revêtements muraux (pages 150-151).

Conseils pour la décoration à l'aide de découpes

Attirez l'attention sur des cadres ou des assiettes en utilisant des motifs tels que des rubans ou des cordes comme fausses suspensions. Commencez par marquer l'endroit du cadre ou de l'assiette, puis découpez les motifs en revêtement mural que vous installerez au-dessus et en dessous de l'objet.

Allongez un motif en le découpant en plusieurs parties et en séparant les sections. Remplissez les espaces entre les différentes sections au moyen de motifs plus petits tels que des fleurs, des rosettes, des tiges.

Préparez l'emplacement en fixant temporairement les découpes à l'endroit prévu au moyen de mastic pour affiches. Marquez légèrement les endroits au crayon ou basez-vous sur les découpes déjà installées pour fixer définitivement chaque découpe.

Boîtes à rideaux recouvertes de revêtement mural

Vous pouvez fabriquer d'élégantes boîtes à rideaux sur mesure en utilisant des bordures de revêtement mural et du contreplaqué. Ces boîtes à rideaux sont particulièrement attrayantes lorsqu'elles surmontent de simples stores, persiennes ou rideaux. Vous leur donnerez une finition impeccable en peignant les bords dans une couleur assortie à la bordure de revêtement mural qui les longe.

Prenez les dimensions intérieures de la boîte à rideau quand tous les accessoires qu'elle doit cacher sont installés. La boîte à rideaux doit dépasser ces accessoires de 2 à 3 po et déborder d'au moins 2 po de chaque côté des supports de la tringle à rideaux. Choisissez une bordure de revêtement mural assez large pour que la boîte à rideaux recouvre complètement la quincaillerie des rideaux ou des tentures.

Outils et matériel

- Mètre à ruban, règle
- Applicateur en éponge ou pinceau
- Contreplaqué de finition de $\frac{1}{2}$ po, lisse au moins d'un côté
- Scie circulaire ou égoïne
- Marteau
- Chasse-clou
- Bordure de revêtement mural
- Colle à bois
- Clous à tête perdue n° 16 de $1\frac{1}{2}$ po

- Bouche-pores, couteau à calfeutrer
- Papier de verre moyen
- Apprêt pour peinture et revêtement mural
- Peinture de couleur assortie au bord de la bordure de revêtement mural
- Fers d'angle
- Vis à tête tronconique ou vis à cheville

Comment découper le contreplaqué et la bordure de revêtement mural

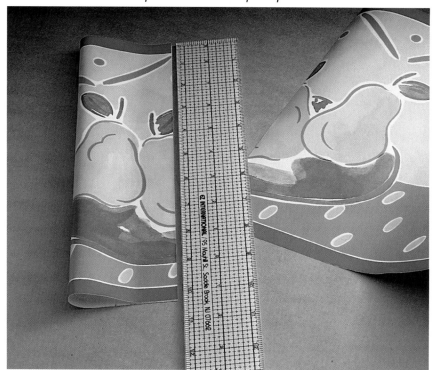

Pour déterminer la hauteur de la bordure de revêtement mural, commencez par enduire d'adhésif de bordure un morceau de bordure de 6 po de long. Ensuite, pliez le morceau de bordure en deux dans le sens de la longueur et laissez sécher l'adhésif pendant environ 5 minutes avant de mesurer de nouveau la largeur de la bordure. C'est cette largeur qui constituera la hauteur du devant et des côtés de la boîte à rideaux.

Déterminez les dimensions intérieures de la boîte à rideaux en tenant compte du dégagement pour la parure de fenêtre et de l'encadrement. Puis tailler le contreplaqué de la partie du dessus en respectant ces dimensions.

Coupez le devant de la boîte à rideaux de la même hauteur que la bordure et d'une longueur égale à la partie du dessus, plus 1 po.

Coupez les côtés d'une hauteur égale à la hauteur de la bordure, et d'une longueur égale à la largeur de la partie du dessus.

Comment fabriquer une boîte à rideaux

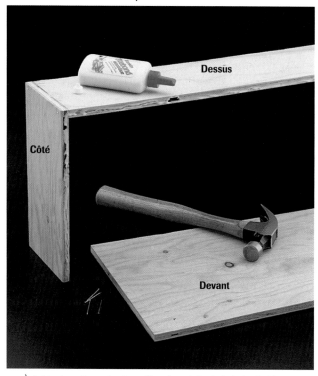

1 À l'aide de colle et de clous, fixez les côtés de la boîte à rideaux aux deux extrémités de sa partie supérieure. Collez et clouez le devant, en veillant à ce que les bords de la pièce viennent au ras des côtés et du dessus de la boîte à rideaux. Noyez les clous au moyen d'un chasse-clou et remplissez les trous des têtes de clou au moyen de bouche-pores. Remplissez également de bouche-pores les creux ou les imperfections du contreplaqué. Poncez toutes les surfaces.

2 Appliquez l'apprêt sur toutes les faces de la boîte à rideaux et laissez-le sécher. Peignez les bords inférieur et supérieur de la boîte à rideaux, en faisant légèrement déborder la peinture sur les tranches du devant et des côtés de la boîte. Peignez toute la surface intérieure de la boîte à rideaux.

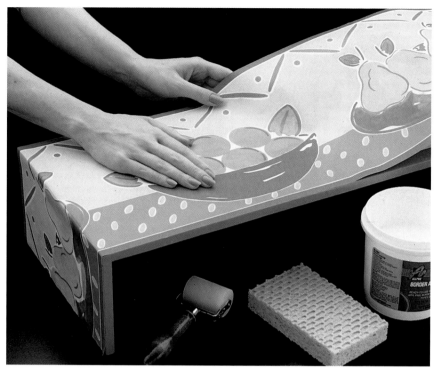

3 Découpez un morceau de bordure de revêtement mural qui soit suffisamment long pour recouvrir le devant et les deux côtés de la boîte, plus 4 po. Préparez la bordure comme s'il s'agissait d'un revêtement mural non encollé (p. 129), en utilisant de l'adhésif pour bordure. Centrez la bordure sur la boîte à rideaux, couvrez toute la surface et enroulez la bordure autour des bords arrière de la boîte de manière à juste recouvrir les bords intérieurs de la boîte en contreplaqué. Coupez l'excédent de papier.

4 Fixez des fers d'angle à l'intérieur du dessus de la boîte à rideaux, un à chaque extrémité et un tous les 45 po, à l'arrière de la partie supérieure. Tenez la boîte à rideaux à l'endroit voulu et assurez-vous qu'elle est de niveau. Marquez les trous des vis des fers d'angle sur le mur ou sur l'encadrement de fenêtre. Enlevez les fers d'angle et fixez-les sur le mur à l'aide de vis à tête tronconique, enfoncées dans les poteaux du mur (utilisez des boulons à cheville aux endroits où les fers d'angle tombent entre des poteaux muraux). Ensuite, attachez définitivement la boîte à rideaux aux fers d'angle installés.

Variantes de boîtes à rideaux

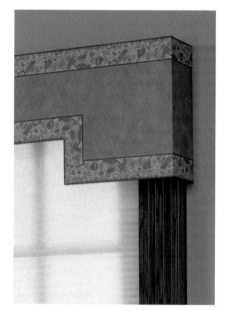

Ici on a découpé une bande de bordure de revêtement mural assortie pour border le haut et le bas de la boîte à rideaux de forme particulière.

Vous pouvez découper le contreplaqué en suivant des lignes courbes au moyen d'une scie sauteuse munie d'une lame à petites dents.

On a ajouté en bas de la bordure de revêtement mural une partie du motif du bord supérieur, pour augmenter la hauteur de la boîte à rideaux.

Moulures murales

Vous pouvez rehausser l'aspect d'un salon en y installant des moulures murales qui ressemblent à des encadrements. Les moulures de ce type permettent de faire ressortir certaines caractéristiques d'une pièce, de diviser de grands murs en sections plus petites et d'attirer l'attention sur des murs qui autrement seraient uniformes et ternes. La moulure peut avoir la même couleur que le mur ou une couleur contrastante. Vous pouvez intensifier l'effet en peignant d'une couleur différente la partie du mur encadrée par la moulure, ou en y appliquant un revêtement mural.

Rien de tel pour les encadrements de bois que les moulures simples et décoratives que l'on trouve dans les maisonneries et les cours à bois. Pour déterminer les dimensions des encadrements et leur emplacement, découpez des bandelettes de papier de boucherie, de la largeur de la moulure, et faites des essais en collant les bandelettes sur le mur. Essayez d'harmoniser la dimension de l'encadrement en moulure avec la dimension d'un détail architectural de la pièce, la largeur des fenêtres ou du foyer, par exemple.

Installez les moulures au moyen de clous de finition, fixés près des coins extérieurs des moulures et aux endroits des poteaux muraux ; utilisez des clous assez longs, qui perceront le mur et pénétreront dans les poteaux muraux. S'il n'y a pas de poteaux muraux aux endroits voulus, appliquez de petits points de colle à bois ou d'adhésif de construction à l'arrière de la moulure pour la fixer au mur.

Outils et matériel

- Moulures en bois
- Papier de boucherie, à découper en bandelettes
- Ruban-cache
- Niveau à bulle et crayon
- Mètre à ruban
- Boîte à onglets et scie à dosseret, ou scie à onglets à commande mécanique
- Perceuse et foret de $\frac{1}{16}$ po

- Clous de finition 6d
- Marteau
- Chasse-clou
- Colle à bois ou adhésif de construction, si nécessaire
- Peinture et calfeutrant au latex, ou teinture et mastic correspondant
- Pinceau

Comment installer des moulures murales d'encadrement

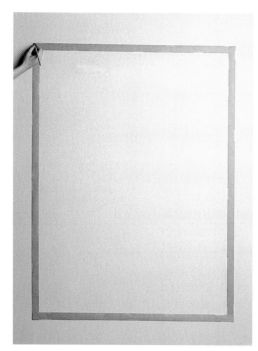

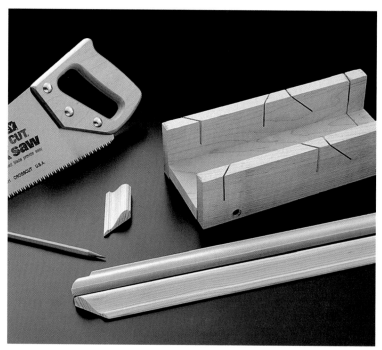

1 Découpez des bandelettes de papier de la largeur de la moulure et collez-les sur le mur. Marquez par de légers traits de crayon l'emplacement des bords extérieurs de la partie supérieure de la moulure. Utilisez un niveau à bulle pour vous assurer que les marques sont de niveau.

2 Mesurez et marquez les lignes de coupe à 45°, sur les parties supérieure et inférieure des moulures. Coupez ces parties en vous servant d'une boîte à onglets et d'une scie à dosseret. La partie supérieure et la partie inférieure doivent avoir la même longueur. Répétez l'opération pour les parties latérales. Essayez de placer la première moulure et, si vous êtes satisfait, coupez les autres moulures aux dimensions voulues.

3 Peignez ou teintez au choix les moulures. Forez des avant-trous au moyen d'un foret de $^1/_{16}$ po. Installez la moulure supérieure contre le mur, en l'alignant sur les marques. Appliquez, si nécessaire, de petits points de colle à l'arrière de la moulure. Clouez les moulures sur le mur, sans enfoncer complètement les clous.

4 Fixez les parties latérales en enfonçant partiellement un clou dans leur partie supérieure seulement. Ajustez la partie inférieure et assurez-vous que l'encadrement est d'équerre. Réglez sa disposition si nécessaire, afin que tous les joints des coins soient parfaits. Puis, fixez les moulures latérales à l'aide de clous et de colle.

5 À l'aide d'un chasse-clou, enfoncez les têtes des clous sous la surface. Remplissez les trous des clous ainsi que les joints des coins de mastic au latex peinturable – si la moulure est peinte – ou du mastic à bois – si la moulure est teinte. Faites les retouches de peinture ou de teinture nécessaires à ces endroits.

Variantes de moulures murales d'encadrement

On a appliqué un revêtement mural à l'intérieur des encadrements formés par les moulures murales, ce qui attire le regard et donne du relief à un mur qui serait trop uniforme autrement.

Les doubles moulures de ce mur soulignent les détails décoratifs.

Les moulures contrastantes attirent l'attention vers les œuvres d'art classiquement disposées à cet endroit.

Moulures décoratives

Vous pouvez donner un aspect étonnant à une pièce en la décorant de moulures en polyuréthane, qui ressemblent aux moulures coulées en plâtre ou sculptées manuellement dans le bois, mais qui sont plus faciles à installer. On fabrique des produits en polyuréthane qui imitent les différents styles d'éléments architecturaux comme les moulures couronnées, les moulures de garnissage, les médaillons de plafonniers, les piliers, les consoles et les panneaux en relief.

Vous pouvez peindre les moulures en polyuréthane de la même couleur que les murs ou le plafond, ou dans une couleur contrastante, les décorer d'un motif en faux fini ou les teinter au moyen d'une teinture pour bois. Vous pouvez aussi souligner les motifs compliqués en relief en les peignant dans une ou plusieurs couleurs contrastantes.

Les moulures en polyuréthane sont faciles à fixer sur la plupart des surfaces si l'on emploie un adhésif spécial. Pour obtenir une bonne adhérence et un fini uniforme, vous devez préparer la surface : nettoyer les murs, enlever toute trace d'ancien revêtement mural, réparer le plâtre ou les plaques de plâtre abîmés et poncer la surface ou y appliquer un apprêt (voir les pages 62 à 87). Pour éviter que les moulures gauchissent, rangez-les, 24 heures à l'avance, dans la pièce où elles seront installées. Ne les installez pas si le taux d'humidité est supérieur à 70 p. 100.

Lorsque vous installez des moulures à motifs, commencez dans le coin le plus visible de la pièce, là où vous pouvez facilement faire coïncider les motifs. Finissez l'installation dans un coin dissimulé, où les motifs qui ne coïncident pas passeront plus facilement inaperçus.

Comment installer un médaillon au plafond, au-dessus d'un lustre

Le médaillon installé au plafond ajoute une touche élégante qui met le lustre ou tout autre accessoire d'éclairage en valeur et attire l'attention sur un point de la pièce. Vous pouvez facilement démonter un lustre en toute sécurité si vous vous assurez de le débrancher sur le tableau de distribution principal et si quelqu'un vous aide en supportant le lustre pendant que vous le débranchez.

Pour déterminer le mode de fixation du lustre, examinez la plaque décorative au plafond. Elle présente un écrou de retenue au centre ou plusieurs écrous ou vis sur la surface ou le pourtour. Cette quincaillerie supporte peut-être le poids du lustre, c'est pourquoi quelqu'un doit soutenir le lustre pendant que vous enlevez les écrous de la plaque.

1 Mettez hors circuit le fusible du lustre sur le tableau de distribution principal. Dévissez l'écrou ou les vis qui retiennent la plaque au plafond, pour exposer les connexions. Débranchez les fils de l'accessoire des fils du circuit de la maison en détachant les connecteurs. Le fil de l'accessoire qui porte une inscription ou qui est coloré est le fil neutre ; il est relié au fil blanc du circuit. Le fil ne portant aucune inscription est chargé et connecté au fil noir du circuit.

La fixation de la plupart des lustres comporte un raccord fileté qui s'engage dans une bride de fixation attachée à la boîte électrique. Dévissez ce raccord et déposez le lustre en dehors de l'aire de travail. Si le lustre est supporté par une plaque vissée ou boulonnée directement à la bride de montage, vous pouvez enlever le lustre dès que vous avez débranché les fils.

Outils et matériel

- Tournevis, clé à molette ou pince multiprise
- Crayon
- Perceuse, trépan avec guide, fraises
- Pistolet à calfeutrer
- Tournevis sans cordon
- Médaillon de plafond en polyuréthane
- Papier de verre 150
- Adhésif pour polyuréthane
- Vis à plaques de plâtre
- Produit ou mastic à calfeutrer, au latex, peinturable

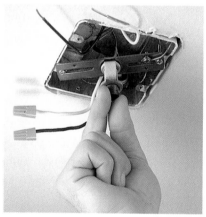

2 Pour prendre en compte l'épaisseur du médaillon, dévissez le raccord fileté et remplacez-le par un raccord fileté plus long, ou achetez des vis plus longues, qui permettront de réunir la plaque et la bride de fixation.

3 Poncez légèrement la face supérieure du médaillon avec du papier de verre 150. Ajustez un trépan pour pouvoir découper un trou plus petit que la plaque de support du lustre, mais assez grand pour que vous puissiez atteindre les trous des vis de la bride de fixation. Découpez le trou du centre du médaillon, en utilisant un trépan et une perceuse. Placez le médaillon contre le plafond, centrez le trou sur la boîte électrique et tracez légèrement le pourtour du médaillon au crayon, sur le plafond.

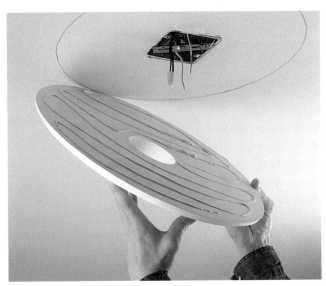

4 Appliquez de l'adhésif pour polyuréthane au dos du médaillon. Déposez le cordon d'adhésif en serpentant et en vous arrêtant à plus de 1 po du bord du médaillon. Centrez soigneusement le médaillon sur le contour tracé au crayon et appuyez-le contre le plafond. Forez plusieurs avant-trous fraisés à travers le médaillon, dans des endroits peu visibles. Vissez ensuite des vis à plaques de plâtre dans ces trous et dans le plafond, pour tenir le médaillon en place pendant que l'adhésif sèche. Ne serrez pas exagérément les vis.

5 À l'aide de produit ou de mastic à calfeutrer, au latex, peinturable, remplissez les trous des vis et avec le doigt humide ou au moyen d'un chiffon humide essuyez l'excédent de produit. Aplanissez le produit déposé dans les trous pour qu'il arrive au ras de la surface du médaillon. Si vous le désirez, peignez ou teintez le médaillon et laissez le tout sécher complètement. Ensuite, rattachez le lustre.

Variantes de moulures de finition

La grande diversité des moulures en polyuréthane disponibles dans le commerce vous permet de combiner les styles et les éléments architecturaux pour ajouter une touche décorative originale à n'importe laquelle de vos pièces.

Ici, des panneaux donnent du relief au mur plat et aux surfaces de la porte. L'encadrement de la porte est décoré de montants, d'un linteau et de blocs de coins. Sur le mur, l'effet d'une applique qui diffuse la lumière en éventail est très réussi.

Ce mur est surmonté d'une corniche très travaillée. Les combinaisons de moulures couronnées et de corniches s'harmonisent avec bonheur aux autres types de garnitures telles que les encadrements, les plinthes et les moulures de panneaux.

Dans cet élément de décoration, la moulure couronnée victorienne équilibre les détails fouillés du médaillon fixé au plafond. Une console classique sert de support décoratif à l'arcade.

Comment installer une moulure couronnée au plafond

Outils et matériel

- Pistolet à calfeutrer
- Tournevis sans cordon
- Mètre à ruban, crayon
- Marteau
- Couteau à calfeutrer
- Perceuse, trépan avec guide, fraises
- Scie à onglets à commande mécanique ou boîte à onglets et scie à petites dents
- Moulure couronnée en polyuréthane
- Pâte à reboucher et couteau à calfeutrer
- Adhésif pour polyuréthane
- Vis à plaques de plâtre de 2 po
- Clous de finition
- Produit ou mastic à calfeutrer, au latex, peinturable

1 Organisez l'agencement des parties de la moulure en mesurant les murs de la pièce et en marquant d'un léger trait de crayon l'emplacement des joints. Chaque fois qu'une section de moulure commence ou se termine dans un coin, ajoutez 1 ou 2 pi pour compenser la perte due à la coupe en onglet que vous devrez faire à l'extrémité de cette section. Évitez les sections plus courtes que 3 pi, car les sections courtes sont plus difficiles à ajuster.

2 Appliquez une section de moulure contre le mur et le plafond, dans sa positon finale. Faites une légère marque au crayon, tous les pieds, le long du bord inférieur de la moulure. Enlevez la moulure et enfoncez légèrement un clou de finition à l'endroit de chaque marque ; ces clous serviront à tenir la moulure en place pendant que l'adhésif séchera. Si le mur est en plâtre, forez des avant-trous pour les clous.

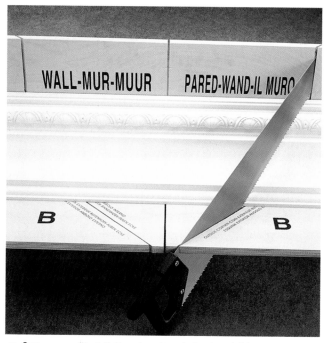

3 Commencez l'installation dans le coin le plus visible, car vous êtes sûr que les motifs coïncideront à cet endroit. Pour faire les coupes en onglet du premier coin, placez la moulure dans la boîte à onglets, face vers le haut. Placez le bord côté plafond de la moulure contre la base horizontale de la boîte, et le bord côté mur de la moulure contre l'appui vertical, à l'arrière de la boîte. Faites la coupe à 45°.

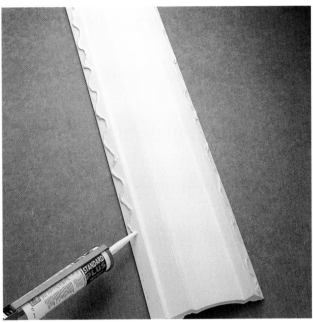

4 Vérifiez les extrémités non coupées de chaque section de moulure avant de les installer. Assurez-vous que les sections qui doivent joindre forment un joint serré. Coupez toutes les extrémités d'équerre à 90°, en utilisant la scie à onglets à commande mécanique ou une boîte à onglets et une scie à main.

5 À l'aide de papier de verre 150, poncez légèrement les faces de la moulure qui seront en contact avec le mur et le plafond. Essuyez la poussière du ponçage au moyen d'un chiffon légèrement imbibé d'essence minérale. Déposez un mince cordon d'adhésif pour polyuréthane sur les bords poncés.

6 Installez la moulure à sa place, l'extrémité coupée à 45° appuyant bien contre le coin, et le bord inférieur reposant sur les clous de finition. Appuyez la moulure contre le mur et le plafond pour qu'elle adhère bien aux deux surfaces. Aux deux extrémités de la section, forez un avant-trou fraisé à travers le bord inférieur et le bord supérieur de la moulure et dans le plafond et le mur. Enfoncez une vis à plaques de plâtre dans chacun des avant-trous pour tenir la moulure en place.

7 Coupez, poncez et collez la section de moulure suivante. Déposez un cordon d'adhésif à l'extrémité de la section installée, là où elle formera un joint avec la nouvelle section. Installez la nouvelle section, fixez les extrémités avec des vis, en veillant à ce que les sections soient bien jointives. Installez les autres sections et laissez sécher l'adhésif.

8 Enlevez soigneusement les clous de finition et remplissez les trous de plâtre à reboucher. À l'aide de produit ou de mastic à calfeutrer, au latex, peinturable, remplissez les trous des vis dans les moulures et les espaces éventuels que présentent les joints et, avec le doigt mouillé, ou à l'aide d'un chiffon humide, essuyez l'excédent de produit. Égalisez la surface du produit pour qu'il arrive au ras de la surface de la moulure.

Conversion des unités de mesure

POUR CONVERTIR:	EN:	MULTIPLIER PAR:
Pouces	Millimètres	25,4
Pouces	Centimètres	2,54
Pieds	Mètres	0,305
Verges	Mètres	0,914
Milles	Kilomètres	1,609
Pouces carrés	Centimètres carrés	6,45
Pieds carrés	Mètres carrés	0,093
Verges carrées	Mètres carrés	0,836
Pouces cubes	Centimètres cubes	16,4
Pieds cubes	Mètres cubes	0,0283
Verges cubes	Mètres cubes	0,765
Chopines (US)	Litres	0,473 (Imp. 0,568)
Pintes (US)	Litres	0,946 (Imp. 1,136)
Gallons (US)	Litres	3,785 (Imp. 4,546)
Onces	Grammes	28,4
Livres	Kilogrammes	0,454
Tonnes courtes	Tonnes métriques	0,907

Conversion des unités de mesure

POUR CONVERTIR:	EN:	MULTIPLIER PAR
Millimètres	Pouces	0,039
Centimètres	Pouces	0,394
Mètres	Pieds	3,28
Mètres	Verges	1,09
Kilomètres	Milles	0,621
Centimètres carrés	Pouces carrés	0,155
Mètres carrés	Pieds carrés	10,8
Mètres carrés	Verges carrées	1,2
Centimètres cubes	Pouces cubes	0,061
Mètres cubes	Pieds cubes	35,3
Mètres cubes	Verges cubes	1,31
Litres	Chopines (US)	2,114 (Imp. 1,76)
Litres	Pintes (US)	1,057 (Imp. 0,88)
Litres	Gallons (US)	0,264 (Imp. 0,22)
Grammes	Onces	0,035
Kilogrammes	Livres	2,2
Tonnes métriques	Tonnes courtes	1,1

Mesure de liquide - Équivalents

1 c. à soupe		= 3 c. à thé
1 oz		= 2 c. à soupe
1 Tasse	= 8 Onces liquides	= 16 c. à soupe
1 Chopine	= 16 Onces liquides	= 2 Tasses
1 Pinte (US)	= 32 Onces liquides	= 2 Chopines
1 Gallon	= 128 Onces liquides	= 4 Pintes

Calcul des dimensions d'une pièce

Hauteur du mur	= Distance du plancher au plafond
Longueur du mur	= Distance d'un coin à l'autre
Superficie en pieds carrés	
Mur	= Longueur x Hauteur
Plancher	= Longueur x Largeur
Plafond	= Longueur x Largeur
Périmètre	= Longueur de tous les murs

Convertion des températures

Pour convertir des degrés Fahrenheit (F) en degrés Celsius (C), appliquez la formule simple suivante: soustrayez 32 de la température en degrés Fahrenheit; multipliez le nombre obtenu par $5/9$. Par exemple: 77 °F – 32 = 45; 45 x $5/9$ = 25 °C.

Pour convertir des degrés Celsius en degrés Fahrenheit, multipliez la température en degrés Celsius par $9/5$ et ajoutez 32 au nombre obtenu. Par exemple: 25 °C x $9/5$ = 45; 45 + 32 = 77 °F

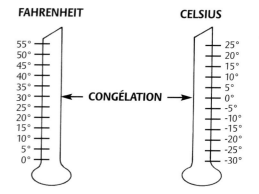

Papier abrasif - grosseur des grains (Oxyde d'aluminium)

TRÈS GROS	GROS	MOYEN	FIN	TRÈS FIN
12 - 36	40 - 60	80 - 120	150 - 180	220 - 600

Index

Achevé d'imprimer au Canada
en octobre 2001
sur les presses de l'imprimerie Interglobe Inc.